CB070349

o processo

Franz Kafka
O PROCESSO

tradução
Caio Pereira

ɕns
SÃO PAULO, 2017

O processo
The trial

Copyright © 2017 by Novo Século Editora Ltda.

PRODUÇÃO EDITORIAL
SSegóvia Editorial

TRADUÇÃO
Caio Pereira

PREPARAÇÃO
Fernanda Umile

DIAGRAMAÇÃO
João Paulo Putini

REVISÃO
Tássia Carvalho
Andrea Bassoto

CAPA
Vitor Donofrio

Texto de acordo com as normas do Novo Acordo Ortográfico da Língua Portuguesa (1990), em vigor desde 1º de janeiro de 2009.

Dados Internacionais de Catalogação na Publicação (CIP)

Kafka, Franz, 1883-1924
O processo
Franz Kafka ; tradução de Caio Pereira.
Barueri, SP: Novo Século Editora, 2017.

Título original: The trial

1. Literatura alemã - Ficção I. Título II. Pereira, Caio

17-0537   CDD-833.912

Índice para catálogo sistemático:
1. Literatura alemã - Ficção 833.912

<ns
uma marca do
Grupo Novo Século

Alameda Araguaia, 2190 – Bloco A – 11º andar – Conjunto 1111
CEP 06455-000 – Alphaville Industrial, Barueri – SP – Brasil
Tel.: (11) 3699-7107
www.gruponovoseculo.com.br | atendimento@gruponovoseculo.com.br

Mesmo no caso de a esperança ser muito pequena, não tenho o direito de não usar as minhas possibilidades.

FRANZ KAFKA

CAPÍTULO UM
Prisão. Conversa com a Sra. Grubach.
Depois com a Srta. Bürstner.

Alguém devia ter falado mentiras sobre Josef K.; ele sabia que não tinha feito nada de errado, mas certa manhã foi preso. Todos os dias, às oito horas, seu café da manhã era trazido pela cozinheira da Sra. Grubach – a proprietária –, mas nesse dia ela não viera. Isso nunca tinha acontecido antes. K. esperou um pouco, viu, ainda deitado, a senhora que morava do lado oposto e que o observava com curiosidade bastante incomum e, finalmente, faminto e desconcertado, tocou a campainha. Ouviu imediatamente alguém bater à porta e um homem entrou. Nunca vira o homem na casa. Era magro, mas de forte constituição, usava roupas pretas e justas, com muitas dobras e bolsos, fivelas e botões e um cinto, tudo dando impressão de ser muito prático, mas sem deixar muito claro para o que de fato serviam.

– Quem é você? – perguntou K., endireitando-se na cama.

O homem, contudo, ignorou a pergunta, como se sua chegada tivesse, simplesmente, de ser aceita, e apenas respondeu:

– Tocou a campainha?

– Anna devia ter trazido meu café da manhã – disse K.

Tentou identificar quem era o homem, primeiro em silêncio, apenas por meio da observação e pensando nele, mas o homem não ficou parado para ser observado por muito tempo. Em vez disso, foi até a porta, abriu-a um bocado e disse a alguém que estava obviamente parado logo atrás:

— Ele quer que Anna traga-lhe o café da manhã.

Alguém riu um pouco na sala ao lado; não ficou claro, pelo som, se era uma ou várias pessoas rindo. O estranho não poderia ter constatado sobre isso nada que já não soubesse, mas veio dizer a K., como se relatando:

— Não é possível.

— É a primeira vez que isso acontece – observou K., saltando da cama e rapidamente vestindo as calças. – Quero ver quem está aí fora, e por que é que a Sra. Grubach permitiu que eu fosse perturbado desse modo.

Ocorreu-lhe imediatamente que não precisava ter dito isso em voz alta e que possivelmente tivesse, até certo ponto, reconhecido a autoridade dos outros ao fazê-lo, mas isso não lhe pareceu importante naquele momento. Foi assim, pelo menos, que o estranho captou a fala, então disse:

— Não acha melhor ficar onde está?

— Não quero ficar aqui nem ouvir mais nenhuma palavra até que você se apresente.

— Digo isso para o seu próprio bem – afirmou o estranho, e abriu a porta, dessa vez sem que lhe pedissem.

O cômodo seguinte, no qual K. entrou mais lentamente do que pretendera, pareceu, a princípio, exatamente o mesmo da noite anterior. Era a sala de estar da Sra. Grubach, lotada de móveis, toalhas de mesa, porcelana e fotografias. Talvez houvesse um pouco mais de espaço ali agora do que o usual, mas, se fosse o caso, não era tão óbvio, principalmente a maior diferença sendo a presença de um homem sentado perto de uma janela aberta com um livro, do qual ergueu os olhos.

— Você devia ter ficado no quarto! Franz não lhe disse isso?

– E o que é que você quer? – perguntou K., olhando desse novo desconhecido para o outro chamado Franz, que permanecera junto à porta.

Pela janela aberta, ele reparou novamente na senhora, que tinha se aproximado da janela oposta para continuar a assistir tudo. Demonstrava curiosidade que conferia uma forte impressão de que estava ficando senil.

– Quero falar com a Sra. Grubach... – disse K., fazendo um gesto como se se libertasse dos dois homens, ainda que estivessem ambos bem longe dele, e quis sair dali.

– Não – negou o homem perto da janela, largando o livro numa mesa de centro e levantando-se. – Não pode ir embora, pois está preso.

– É o que parece mesmo – concordou K. – E por que estou preso? – perguntou.

– Não temos permissão para lhe dizer isso. Vá para o quarto e espere lá. Os procedimentos estão em andamento e você será informado de tudo em breve. Não é muito minha função ser simpático desse jeito, mas espero que ninguém, tirando o Franz, fique sabendo, e ele foi muito mais simpático com você do que devia ter sido, considerando as regras. Se continuar tendo tanta sorte como teve com os oficiais que vieram prendê-lo, fique sabendo que tudo vai muito bem com você.

K. quis sentar-se, mas então constatou que, além da cadeira ao lado da janela, não havia outro lugar na sala no qual poderia sentar-se.

– Terá a chance de ver por si mesmo como tudo isso é sério – disse Franz, e os dois homens aproximaram-se de K.

Eram bem maiores que ele, principalmente o segundo, que ficava lhe dando tapinhas no ombro. Os dois tatearam o pijama de K. e disseram que agora ele teria de usar algo de qualidade muito inferior, mas que guardariam seu pijama junto das demais roupas de baixo e o devolveriam se as coisas dessem certo para ele.

– É melhor que nos dê suas coisas em vez de deixar no depósito – aconselharam. – As coisas tendem a sumir lá, e após certo tempo eles vendem, tendo o caso sido encerrado ou não. E casos desse tipo podem durar muito tempo, principalmente os que têm aparecido ultimamente. Eles lhe dariam o dinheiro que conseguiram, mas não seria grande coisa, já que não é quanto vendem que conta e, sim, o quanto repassam por fora, e coisas desse tipo perdem o valor de todo jeito quando são passadas de mão em mão, ano após ano.

K. mal prestava atenção ao que diziam; não punha muito valor no que ainda possuía ou em quem decidiria o que aconteceria a esse pouco. Era muito mais importante para ele ter compreensão clara de sua situação, mas não conseguia pensar com clareza com aquele pessoal ali, a barriga do segundo policial – e podiam apenas ser policiais – parecia bastante amigável, avançando na direção dele, mas, quando K. erguia os olhos e via o rosto seco e ossudo, ele não parecia caber no corpo. O nariz forte, torcido para o lado, como se ignorando K., parecia compartilhar um entendimento com o outro policial. Que tipo de pessoas eram aquelas? De que falavam? A que delegacia pertenciam? K. vivia num país livre, afinal, onde reinava a paz, todas as leis eram decentes e respeitadas, quem ousava acuá-lo em sua própria casa? Sempre fora inclinado a levar a vida o mais leve possível, resolver problemas quando surgiam, não se preocupar com o futuro, mesmo quando tudo parecia correr perigo. Mas, ali, isso não parecia ser o certo a fazer. Ele podia levar tudo na brincadeira, uma grande pegadinha arranjada pelos colegas do banco por algum motivo desconhecido, ou também talvez porque era seu aniversário de trinta anos, tudo isso era possível, claro, talvez lhe bastasse rir na cara dos policiais, de algum modo, para que rissem com ele; talvez fossem comerciantes da esquina, até pareciam ser – mas estava determinado, no entanto, desde que pusera os olhos no homem chamado Franz, a não perder qualquer vantagem, mínima que fosse, que tivesse adquirido sobre aquelas pessoas. Havia a discreta possibilidade de que, mais tarde, viriam a dizer que ele não sabia aceitar uma piada, mas – embora ele não tivesse muito o hábito de aprender com a experiência – tivera também uma ou outra ocasião sem grande importância em mente quando, ao contrário de seus amigos mais cautelosos, agira totalmente sem pensar nas consequências e acabara sofrendo por isso. Não queria que isso tornasse a acontecer, pelo menos não desta vez; se estavam de atuação, atuaria junto deles.

Ainda havia tempo.

– Com licença – disse ele, e passou com pressa por entre os dois policiais para entrar em seu quarto.

– Ele me parece bastante sensato – ouviu um deles falar atrás de si.

Uma vez em seu quarto, num gesto bruto abriu a gaveta da escrivaninha, tudo ali dentro estava muito bem arrumado, mas na agitação ele foi incapaz de encontrar os documentos de identificação que fora procurar. Finalmente, encontrou a licença da bicicleta e estava prestes a retornar para o policial com ela quando o documento pareceu-lhe pouco demais; então continuou procurando até encontrar a certidão de nascimento. Assim que voltou ao cômodo adjacente, a porta do outro lado abriu-se e a Sra. Grubach pôs-se a entrar. Ele a viu por apenas um instante, pois, assim que reconheceu K., a mulher ficou obviamente embaraçada, pediu perdão e desapareceu, fechando a porta com cuidado.

— Entre, por favor — K. podia ter dito.

Contudo, ficou parado no centro do cômodo, com os papéis na mão, ainda fitando a porta, que não tornou a abrir. Permaneceu assim até que foi arrancado da hesitação pelo grito do policial sentado perto da mesa de centro, ao lado da janela aberta, que, como K. viu agora, tomava café da manhã.

— Por que ela não entrou? — ele perguntou.

— Porque ela não pode — retrucou o policial mais alto. — Você está preso, não?

— Mas como posso estar preso? Como é que fazem isso deste jeito?

— Lá vai você de novo — mencionou o policial, mergulhando um pedaço de pão com manteiga num pote de mel. — Não respondemos a esse tipo de pergunta.

— Terão que responder — argumentou K. — Aqui estão meus documentos, agora me mostrem os seus, e certamente vou querer ver também o mandado de prisão.

— Ai, meu Deus! — exclamou o policial. — Na posição em que se encontra, você acha que pode ficar dando ordens, é? Não vai lhe fazer bem nenhum não nos ter do seu lado, mesmo que pense o contrário... É provável que estejamos mais do seu lado do que qualquer outro que conheça!

— Isso é verdade, viu... melhor acreditar — afirmou Franz, segurando uma xícara de café que ele não levava à boca, apenas olhava para K. de um modo que ele provavelmente pretendia que tivesse todo um sentido, mas, na verdade, não podia ser de fato entendido.

K. adentrou, sem querer, um diálogo mudo com Franz, mas logo deu um tapa nos documentos e falou:

– Tenho aqui meus documentos.
– E que quer que façamos com eles? – perguntou bem alto o policial maior. – Esse seu jeito está pior que criança. O que você quer? Quer concluir mais rápido esse seu processo grande e sangrento falando de documentação e mandado de prisão conosco? Somos simples policiais, é tudo que somos. Oficiais menores como nós mal diferenciam uma ponta de um documento da outra, tudo o que temos de fazer com você é ficar de olho por dez horas por dia e receber nosso salário. É tudo que somos. Veja, o que podemos fazer é garantir que os oficiais superiores para os quais trabalhamos saibam que tipo de pessoa vão prender e por que deveria ser presa, antes que emitam o mandado. Não tem erro. Nossas autoridades, até onde sei, e só conheço os menores, não saem por aí procurando culpados entre as pessoas; são os culpados que os atraem, como diz na lei, e eles têm que mandar a nós, policiais, para averiguar. A lei é assim. Como pode achar que tem algo errado nisso?
– Não conheço essa lei – afirmou K.
– Pior pra você, então – enfatizou o policial.
– Ela deve existir só nas suas cabeças – disse K., querendo, de algum modo, insinuar-se dentro dos pensamentos do policial, reformular esses pensamentos a seu favor ou ficar à vontade entre eles.
Contudo, o policial apenas disse, sem muito zelo:
– Você vai conhecer quando for afetado.
Franz interveio, dizendo:
– Olha só isso, Willem, ele admite que desconhece a lei e ao mesmo tempo insiste que é inocente.
– Você tem razão, mas não tem como fazê-lo entender uma coisa que seja – observou o outro.

K. desistiu de conversar com os policiais. Pensou consigo: "Será que eu preciso mesmo continuar me complicando com a conversa mole desses funcionários de base desse jeito? E eles mesmos admitem que são da menor posição. Falam de coisas de que não têm o menor entendimento, afinal. É somente devido a sua estupidez que conseguem ser tão seguros de si mesmos. Só preciso ter uma ou outra palavra com alguém do mesmo nível social que o meu e tudo ficará incomparavelmente claro, muito mais claro do que uma longa conversa com esses dois pode tornar". Andando daqui para lá no espaço livre da sala um par de vezes, do outro lado da rua ele viu que a senhora de idade agora puxara um senhor muito mais idoso que ela até a janela e o envolvera com os braços. Era preciso colocar fim àquela exposição.

– Levem-me ao seu superior – solicitou ele.

– Assim que ele quiser vê-lo. Não antes – colocou o policial, o que se chamava Willem. – E agora, meu conselho para você – acrescentou – é que vá para o seu quarto, acalme-se e espere para ver o que acontecerá. Se aceitar esse conselho, não vai se cansar pensando em coisas sem sentido; você precisa se acalmar, já que muito lhe será demandado. Seu comportamento para conosco não foi o que merecíamos, depois de termos sido tão bons com você; esqueceu-se de que, seja lá o que formos, ainda somos homens livres, e você não, e isso é uma bela de uma vantagem. Mas, apesar disso tudo, estamos dispostos, se tiver dinheiro, a sair e comprar algo para que coma do café ali da estrada.

Sem dar resposta a essa oferta, K. ficou ali parado por mais um tempo. Talvez, se ele abrisse a porta da sala ao lado ou até mesmo a da entrada, os dois homens não ousariam ficar no caminho dele, talvez esse fosse o modo mais simples de resolver a coisa toda, pingando a última gota d'água. Mas talvez o agarrariam e, se ele fosse jogado no chão, perderia toda a vantagem que, em certo sentido, tinha sobre eles. Portanto, optou pela solução mais acertada, do modo como as coisas seguiriam no curso natural dos eventos, e voltou para o quarto sem mais palavra dita por ele ou pelos policiais.

K. jogou-se na cama, e do criado-mudo pegou a bela maçã que colocara ali na noite anterior para o café da manhã. Agora ela era tudo que ele teria no café, e, de qualquer maneira, como ele confirmou assim que deu uma primeira e grande mordida nela, estava muito melhor do que qualquer coisa que teria conseguido da boa vontade dos policiais e daquele café sujo. Sentia-se bem e confiante, não pudera ir ao trabalho, no banco, naquela manhã, mas isso poderia ser facilmente desculpado considerando-se o cargo relativamente importante que tinha lá. Deveria mandar uma nota explicando-se? Ficou pensando nisso. Se ninguém acreditasse nele, o que nesse caso seria compreensível, poderia levar a Sra. Grubach como testemunha, ou até mesmo o casal de idosos do outro lado da rua, que provavelmente estaria agora a caminho da janela oposta. Intrigava a K., pelo menos o intrigava pensando no fato pelo ponto de vista dos policiais, que eles o tinham feito ir para o quarto e o deixaram ali sozinho, onde teria dez maneiras diferentes de se matar. Ao mesmo tempo, no entanto, ele perguntava-se, pensando na questão pelo próprio ponto de vista, que motivo teria para fazer isso. Por que aqueles dois estavam sentados na sala ao lado e lhe tinham tomado o café da manhã, quem sabe? Teria sido tão sem sentido matar-se que, mesmo que ele quisesse, a falta de sentido o teria deixado incapaz de fazê-lo. Talvez, caso os policiais não fossem tão obviamente limitados em sua capacidade mental, poder-se-ia supor que tivessem chegado à mesma conclusão e não viam perigo em deixá-lo sozinho por isso. Podiam dar uma olhada, se quisessem, e veriam como ele foi até o armário na parede, no qual guardava uma garrafa de um bom *schnapps*, como esvaziou um copo da bebida no lugar do café e como tomou um segundo copo no intuito de ganhar coragem, esse último apenas como precaução para o improvável caso de ser necessário.

Então, ele levou um susto tão grande quando lhe gritaram da outra sala que meteu os dentes no vidro.

– O supervisor quer ver você! – informou uma voz.

Foi somente o grito que o assustou, um grito curto, abrupto, militar, que ele não esperava do policial chamado Franz. Em si, considerou a ordem bastante bem-vinda.

– Finalmente! – gritou de volta, trancou o armário e, sem demora, correu para a sala de estar.

Os dois policiais estavam ali parados e o escorraçaram de volta ao quarto, como se fosse procedimento padrão.

– Aonde você pensa que vai? – gritaram. – Acha que pode ir ver o supervisor vestido desse jeito? Ele arranjaria para que você levasse uma bela de uma surra, e nós também!

– Me soltem, pelo amor de Deus! – exclamou K., que já tinha sido empurrado até seu guarda-roupa. – Se me abordam quando ainda estou na cama, não podem esperar me encontrar em roupa formal.

– Isso não vai ajudá-lo nem um pouco – disseram os policiais, que sempre ficavam calmos, quase tristes, quando K. começava a gritar, e desse jeito o confundiam ou, até certo ponto, traziam-no para a realidade.

– Formalidades ridículas! – ele resmungou e pegou o casaco da cadeira, mantendo-o nas duas mãos por certo tempo, como se mostrando para a inspeção dos policiais.

Eles fizeram que não.

— Tem que ser um casaco preto — disseram.
Ouvindo isso, K. jogou o casaco no chão e retrucou — sem saber, ele mesmo, por que fizera isso:
— Bom, não vai ser o julgamento principal, afinal.
Os policiais riram, mas continuaram insistindo.
— Tem que ser um casaco preto.
— Bom, por mim tudo bem, se for para apressar as coisas — concordou K.

Ele abriu o guarda-roupa, passou um bom tempo fuçando nas roupas, e escolheu seu melhor terno preto, que tinha um casaco bem curto que já surpreendera muitos que o conheciam, depois tirou também uma camisa limpa e começou, lentamente, a vestir-se. Secretamente, disse consigo que já sucedera em adiantar as coisas por fazer que os policiais se esquecessem de mandá-lo tomar um banho. Ficou observando-os para ver se em algum momento se lembrariam disso, mas claro que nunca lhes ocorreu, embora Willem não se esquecesse de mandar Franz ao superior com a mensagem de que K. estava se vestindo.

Assim que se encontrava adequadamente vestido, K. teve de passar por Willem ao cruzar a sala ao lado para entrar na seguinte, cuja porta já estava bem aberta. K. sabia muito bem que o quarto fora recentemente alugado por uma datilógrafa chamada "Srta. Bürstner". Ela tinha o hábito de sair para trabalhar de manhã bem cedo e voltar para casa bem tarde, e K. jamais trocara mais do que uns poucos cumprimentos com ela. Agora, o criado-mudo dela fora puxado para o centro do quarto a fim de ser usado como escrivaninha para tais procedimentos, e o supervisor sentava-se logo atrás dele. Estava de pernas cruzadas e jogara um dos braços para trás, sobre o encosto da cadeira.

Num canto do quarto havia três jovens olhando as fotografias pertencentes à Srta. Bürstner, que haviam sido colocadas num pedaço de tecido, na parede. Pendurada no puxador da janela aberta estava uma blusa branca. Na janela do outro lado da rua, lá estava o casal de idosos mais uma vez, embora agora em maior número, visto que, atrás deles, e muito mais alto que eles, estava um homem de camisa aberta, mostrando o peito, e cavanhaque ruivo, que ele amassava e contorcia com os dedos.

– Josef K.? – perguntou o supervisor, talvez meramente para atrair a atenção de K., que olhava ao redor do cômodo.

K. assentiu.

– Imagino que ficou muito surpreso com tudo o que está ocorrendo nesta manhã – disse o supervisor, enquanto, com as duas mãos, empurrava os poucos itens sobre o criado-mudo: a vela e uma caixa de fósforos, um livro e uma almofada de alfinetes, que jaziam ali como coisas de que ele precisaria para seus procedimentos.

– Certamente – afirmou K., e começou a se sentir relaxado agora que, finalmente, estava diante de alguém com alguma noção, alguém com quem poderia conversar sobre sua situação. – Certamente estou surpreso, mas de modo algum "muito surpreso".

– Não está muito surpreso? – perguntou o supervisor, posicionando a vela no centro do criado-mudo e os outros itens num grupo, em volta dela.

– Talvez não tenha entendido muito bem – K. correu apontar. – O que quis dizer foi... – nesse ponto K. interrompeu-se e olhou ao redor, procurando um lugar para se sentar. – Posso me sentar, não? – perguntou.

– Não é convencional – respondeu o supervisor.

— O que quero dizer... – continuou K., sem demora, dessa vez – é que, sim, estou muito surpreso, mas, quando você já está neste mundo há trinta anos e teve que seguir seu caminho por conta própria, e foi assim para mim, você fica endurecido para as surpresas e não as recebe com tanta resistência. Principalmente o que aconteceu hoje.

— Por que principalmente o que aconteceu hoje?

— Eu não diria que vejo tudo isso como uma piada, vocês parecem ter tido bastante trabalho para fazer todos esses arranjos. Todos na casa devem estar participando disso, assim como todos vocês, e isso seria ir muito além de aonde iria uma piada. Então, eu não diria que se trata de piada.

— Isso mesmo – concordou o supervisor, vendo quantos fósforos restavam na caixa.

— Mas, por outro lado – prosseguiu K., olhando para todos ali e até desejando poder chamar a atenção dos três que analisavam as fotografias –, isso não tem como ser tão importante. E isso por causa do fato de que fui indiciado, mas não consigo pensar na menor das ofensas pela qual possa ser indiciado. Mas até isso não vem muito ao caso; a questão principal é: quem realizou essa acusação? Qual oficial está conduzindo o caso? Vocês são oficiais? Nenhum está de uniforme, a não ser que o que você está usando – e dizendo isso se virou para Franz – sirva como uniforme, pois está mais para traje de viagem. Demando uma resposta clara para todas essas perguntas, e tenho certeza de que, uma vez que as coisas forem esclarecidas, podemos nos despedir no melhor dos termos.

O supervisor bateu a caixa de fósforos na mesa.

— Está cometendo um grande erro – disse. – Esses cavalheiros e eu não temos nada a ver com a sua vida, na verdade não sabemos quase nada de você. Poderíamos estar usando uniformes tão adequados e exatos como menciona e sua situação não seria mais branda só por isso. Quanto ao fato de você estar sob acusação, não posso dar-lhe resposta clara a isso, nem sei se está mesmo ou não. Está preso, disso pode ter certeza, mas não sei nada mais que isso. Vai ver esses oficiais andaram de papo furado com você; bem, se estiveram, não passa disso: papo furado. Não posso dar resposta às suas perguntas, mas posso dar um pequeno conselho: é melhor se preocupar menos conosco e com o que vai acontecer-lhe, e pensar mais em si mesmo. E pare de fazer esse escarcéu todo quanto à sua inocência; você não passa uma impressão das piores, mas com todo esse escarcéu está piorando tudo. E seria bom diminuir o falatório também. Quase tudo que disse até agora foram coisas que podíamos ter depreendido de seu comportamento, mesmo você não tendo dito mais que umas poucas palavras. E o que disse não foi exatamente a seu favor.

★ ★ ★

K. encarava o supervisor. E não é que o homem, provavelmente mais novo que ele, estava lhe passando sermão feito um diretor de escola? Era essa a punição para a honestidade dele: uma bronca? E não lhe informariam nada sobre os motivos da prisão ou daqueles que o estavam prendendo? Um tanto contrariado, começou a andar de um lado a outro. Ninguém o impediu de fazer isso. Ele puxou as mangas da camisa, estufou o peito, alisou os cabelos, foi até os três homens e disse:

— Isso não faz o menor sentido.

Ao que esses três se viraram para ele e vieram com expressões sérias. Finalmente, K. deteve-se mais uma vez perante a escrivaninha do supervisor.

— O advogado Hasterer é um grande amigo meu — afirmou ele —; posso telefonar-lhe?

— Certamente — respondeu o supervisor —, mas não vejo qual seria o motivo para tanto, suponho que tenha algum assunto pessoal que queira discutir com ele.

— Qual seria o motivo? — gritou K., mais desconcertado que contrariado. — Quem vocês pensam que são? Quer que exista motivo quando estão conduzindo algo que não faz o menor sentido? A situação é de chorar! Primeiro esses cavalheiros me abordam, e agora ficam aí sentados ou zanzando aqui e me deixam ficar aqui à toa na sua frente. Qual seria o motivo de telefonar a um advogado quando estou sendo levado preso ostensivamente? Muito bem, não farei o telefonema.

— Pode ligar para ele, se quiser — disse o supervisor, estendendo a mão para o outro cômodo, onde ficava o telefone. — Por favor, vá em frente, faça a sua ligação.

— Não, não quero mais — afirmou K., e foi até a janela.

Do outro lado da rua, as pessoas continuavam em frente à janela, e somente quando K. foi até a janela, elas pareceram incomodar-se de ficar assistindo quietinhas a tudo que se passava. O casal de idosos quis levantar-se, mas o homem atrás deles os acalmou.

— Temos algo como uma plateia ali fora — disse K. ao supervisor, bem alto, apontando para fora com o dedo. — Vão embora — ordenou às pessoas.

Imediatamente, os três recuaram uns passos, o casal de idosos chegou a colocar-se atrás do homem, que então os escondeu com a largura do corpo e pareceu, pelos movimentos da boca, dizer algo incompreensível àquela distância. Eles não desapareceram por completo, no entanto, parecia que aguardavam pelo momento em que pudessem retornar à janela sem serem notados.

– Gente intrusa, incômoda! – disse K., retornando à sala. O supervisor devia concordar com ele, pelo menos foi o que K. pensou ter visto no canto dos olhos do homem. Mas era igualmente possível que ele nem estivesse escutando, pois tinha a mão apertada com força na mesa e parecia estar comparando o comprimento dos dedos. Os dois policiais estavam sentados num baú coberto com uma manta colorida, esfregando os joelhos. Os três mais jovens, de mãos nos quadris, olhavam ao redor, sem intenção. Tudo ficara muito quieto, como num escritório do qual todos haviam se esquecido.

– Bem, cavalheiros – disse K., e por um momento pareceu como se ele carregasse todos os outros nos próprios ombros –, parece que seu assunto comigo foi concluído. Em minha opinião, é melhor parar de questionar se estão procedendo corretamente ou não. – E pôs um fim pacífico na questão com um aperto de mão. – Se concordam comigo, então, por favor...

Dizendo isso, K. foi até a mesa do supervisor e estendeu-lhe a mão. O supervisor ergueu o rosto, mordeu o lábio e fitou a mão estendida de K.; este continuou acreditando que o supervisor procederia como ele sugerira. Contudo, do contrário, o homem se levantou, pegou um duro chapéu redondo que jazia na cama da Srta. Bürstner e o colocou com cuidado na cabeça, usando ambas as mãos, como quem prova um chapéu novo.

– Tudo parece tão simples para você, não? – perguntou a K. durante o gesto. – Então acha que devíamos pôr um fim pacífico na questão, é isso? Não, não, assim não dá. Veja bem, por outro lado, eu certamente não gostaria que você pensasse que não há esperança para o seu caso. Não. Por que haveria de pensar assim? Você simplesmente está preso, nada além disso. Era isso que eu tinha de dizer-lhe, foi isso que eu fiz, e agora vi como o recebeu. Isso basta por um dia, e podemos nos despedir um do outro, pelo menos por enquanto. Imagino que agora vai querer ir ao banco, não?

– Ao banco? – perguntou K. – Achei que ia ser preso.

K. falou isso com certa dose de desafio, como se, embora seu aperto de mão não fora aceito, estivesse sentindo-se mais independente de todas aquelas pessoas, especialmente desde que o supervisor levantara-se. Era tudo um grande jogo. Se partissem, ele resolvera que sairia correndo atrás deles e se ofereceria para ser preso. Foi por isso que até repetiu:

– Como posso ir ao banco se vou ser preso?

– Vejo que não me entendeu – afirmou o supervisor, já perto da porta. – É verdade que você está preso, mas isso não deveria impedi-lo de continuar trabalhando. E nada deveria impedir que siga com sua vida normal.

– Nesse caso, não é assim tão ruim ser preso – disse K., e foi até o supervisor.

– Eu jamais disse que seria de outro modo – ele retrucou.

– Parece ter sido muito pouco necessário notificar-me do fato, nesse caso – afirmou K., e chegou ainda mais perto.

Os outros também tinham se aproximado. Todos haviam se reunido num espaço estreito junto à porta.

– Era uma tarefa que devia executar – comentou o supervisor.

– Tarefa boba – complementou K., inexorável.

– Pode ser – retrucou o supervisor –, mas não vamos perder tempo falando deste jeito. Eu supusera que você ia querer ir ao banco. Já que está prestando muita atenção em cada palavra, acrescento isto: não o estou forçando a ir ao banco, apenas supus que ia querer. Para facilitar-lhe as coisas e para garantir que chegasse ao banco com o mínimo de rebuliço possível, coloquei esses três cavalheiros, colegas seus, à sua disposição.

– Como?! – perguntou K., e olhou para os outros três estupefato.

Lembrava-se apenas de ter visto o grupo junto das fotografias, mas aqueles rapazes anêmicos sem característica eram de fato funcionários do banco, não colegas dele, dizer isso seria um exagero e demonstrava uma falha na onisciência do supervisor, mas eram, de fato, membros juniores da equipe do banco. Como K. não pudera reparar nisso? Como se ocupara tanto com o supervisor e os policiais para não ter reconhecido aqueles três! Rabensteiner, com seus trejeitos rígidos e mãos agitadas; Kullich, com os cabelos loiros e os olhos profundos; e Kaminer, cujo sorriso involuntário era causado por espasmos musculares crônicos.

– Bom dia – cumprimentou K., após um tempo, estendendo a mão para os cavalheiros, que faziam as devidas mesuras. – Não reconheci nenhum de vocês. Então, vamos ao trabalho, que tal?

Os cavalheiros riram e assentiram com entusiasmo, como se fosse por isso que estiveram esperando o tempo todo, porém K. deixara o chapéu no quarto, então todos correram, um atrás do outro, para o quarto a fim de pegá-lo, o que causou um pouco de embaraço. K. permaneceu onde estava e ficou observando-os pela abertura das portas duplas; o último a ir, claro, foi o apático Rabensteiner, que desatara em não mais que um trote elegante. Kaminer pegou o chapéu, e K., como frequentemente tinha de fazer no banco, lembrou-se deliberadamente de que aquele sorriso irônico não era proposital, que o homem, na verdade, não era capaz de sorrir propositalmente. Nesse momento, a Sra. Grubach abriu a porta do corredor para a sala de estar, onde estavam todos. Não parecia sentir-se culpada de nada, e K., como quase sempre, reparou no laço do avental dela, que, sem motivo algum, cortava tão profundamente aquele corpo robusto. Uma vez no andar de baixo, K., com o relógio na mão, resolveu pegar um táxi – já estava meia hora atrasado, e não havia por que se demorar ainda mais. Kaminer correu até a esquina para chamar o táxi, e os outros dois se esforçavam obviamente para manter K. distraído, quando Kullich apontou para a porta da casa do outro lado da rua, onde o grandalhão de cavanhaque loiro apareceu e, um pouco envergonhado inicialmente por ser visto de corpo inteiro, recuou até a parede e recostou-se nela. O casal de idosos ainda devia estar sentado na escadaria. K. ficou irritado com Kullich por apontar o homem que ele já tinha visto, pelo qual, na verdade, estivera esperando.

– Não olhe para ele! – ralhou, sem notar quão estranho era falar com homens livres desse jeito.

Mas não foi preciso explicação alguma, visto que nesse momento chegou o táxi, e todos entraram e partiram. Dentro do táxi, K. lembrou-se de que não notara o supervisor e os policiais saindo – o supervisor o impedira de reparar nos três funcionários do banco e agora os três funcionários do banco o impediam de reparar no supervisor. Isso indicava que K. não era lá muito atencioso, e ele resolveu prestar mais atenção em si mesmo quanto a esse respeito. Não obstante, ele não mais pensou nisso quando se torceu todo e inclinou-se por sobre o banco de trás do carro para tentar ver o supervisor e os policiais, se possível. Mas logo ele voltou e se recostou confortavelmente no canto do táxi, sem nem ter se dado o trabalho de tentar avistar alguém. Embora não parecesse, seria esse o momento em que poderia receber um pouco de encorajamento, mas os cavalheiros pareciam cansados, Rabensteiner olhava para fora do lado direito, Kullich do esquerdo, e apenas Kaminer estava ali, com o sorriso presente, a serviço de K. Teria sido desumano fazer chacota disso.

Na primavera, sempre que possível, K. costumava passar as noites, após o trabalho – em geral ficava no escritório até nove da noite –, fazendo uma caminhada curta, ou sozinho ou na companhia de uns funcionários do banco, e depois passava num *pub*, onde se sentava na mesa dos *habitués*, com homens na maioria mais velhos, até as onze. Havia, no entanto, exceções também a esse hábito, vezes em que, por exemplo, K. era convidado pelo gerente do banco (por quem tinha grande respeito pela assiduidade e confiabilidade) a dar um passeio de carro ou jantar com ele em sua casa imensa. K. ia também, uma vez por semana, ver uma garota chamada Elsa, que trabalhava de garçonete num bar, a noite toda, até de manhã. Durante o dia, recebia visitantes somente enquanto estivesse ainda na cama.

Nessa noite, porém – o dia passara rapidamente, com tanto trabalho duro e muitas felicitações respeitosas e amigáveis pelo aniversário –, K. queria ir direto para casa. Toda pequena pausa que deu no trabalho, ao longo do dia, pensou em como, sem saber exatamente o que tinha em mente, o apartamento da Sra. Grubach pareceu ter sido posto em grande baderna pelos eventos da manhã, e que caberia a ele colocar tudo em ordem. Assim que estivesse tudo em ordem, cada traço desses eventos seria apagado e tudo retornaria a seu curso de sempre. Em particular, não havia nada a recear com relação aos três funcionários do banco, que tinham tornado a imergir na papelada de cada um, e não houve mais alterações a serem notadas nos homens. K. chamara cada um deles, separadamente ou todos juntos, em sua sala, por nenhum outro motivo senão para observá-los; toda vez ficou satisfeito e pôde dispensá-los.

Às nove e meia da noite, quando chegou à entrada do prédio em que morava, deparou com um rapaz na porta, parado ali, de pernas espaçadas, fumando cachimbo.
— Quem é você? — K. perguntou imediatamente, aproximando muito seu rosto ao do rapaz, visto que era difícil enxergar sob a meia-luz da varanda.
— Sou filho do proprietário, senhor — respondeu o rapaz, tirando o cachimbo da boca e dando um passo para o lado.
— Filho do proprietário? — perguntou K., batendo uma vez, impaciente, com a bengala no chão.
— Posso ajudar, senhor? Quer que eu vá chamar meu pai?
— Não, não — respondeu K., com um quê de perdão na voz, como se o rapaz o tivesse ofendido de algum modo, e ele o escusasse. — Não precisa — falou, então, e foi indo, mas, antes de subir as escadas, virou-se mais uma vez.

Poderia ter ido imediatamente para o quarto, mas, como queria ter com a Sra. Grubach, foi direto à porta dela e bateu. Ela estava sentada à mesa, tricotando uma meia, com uma pilha de meias velhas à sua frente. K. pediu desculpas, um pouco envergonhado por ter vindo tão tarde, mas a Sra. Grubach foi bastante amigável e não quis ouvir desculpas, afirmando que estava sempre pronta para falar com ele, que ele sabia muito bem que era o melhor inquilino e o favorito dela. K. olhou ao redor, o cômodo tinha a mesma aparência de sempre; as louças do café, que estiveram sob a janela de manhã, já tinham sido retiradas.

"As mãos de uma mulher fazem de tudo quando ninguém está olhando", pensou ele, que poderia ter estilhaçado a louça toda ali mesmo, mas certamente não teria capacidade de transportar tudo dali. Ele olhou para a Sra. Grubach com certa gratidão.

– Por que está trabalhando até tão tarde? – perguntou. Estavam os dois sentados à mesa agora, e K. vez por outra mergulhava as mãos na pilha de meias.

– Há muito trabalho a fazer – ela afirmou –, durante o dia eu pertenço aos inquilinos; se fico muito atarefada, para as minhas coisas só me restam as noites.

– Receio que tenha lhe causado trabalho a mais hoje.

– O que quer dizer, Sr. K.? – ela perguntou, ficando mais interessada, deixando assim o trabalho no colo.

– Refiro-me aos homens que estiveram aqui hoje de manhã.

– Ah, entendi – respondeu ela, e retornou pacificamente ao que estivera fazendo. – Mas não foi nada, nada de tão importante.

K. observou, em silêncio, a senhora retomar o trabalho de tricotar a meia. "Ela parece surpresa de eu mencionar o fato", pensou ele, "ela acha inadequado da minha parte mencionar. Mais motivo ainda para que eu o faça. Uma senhora idosa é a única pessoa com quem posso tratar disso".

– Mas devo ter lhe causado certo contratempo – disse ele, então –, mas não acontecerá de novo.

– Não, não pode acontecer de novo – ela concordou, e sorriu para K. quase como se condoída.

– Está falando sério? – ele perguntou.

– Sim – ela respondeu, mais gentilmente –, mas o que mais importa é o senhor não levar a mal. Há tanta coisa terrível acontecendo no mundo! Como está sendo tão honesto comigo, Sr. K., posso admitir-lhe que ouvi um pouquinho do que acontecia, de detrás da porta, e que aqueles policiais me disseram uma coisa ou outra também. Tudo está relacionado a sua felicidade, e isso é algo por que tenho muito apreço, talvez mais do que deveria, visto que sou, afinal, apenas a proprietária. De qualquer modo, ouvi uma coisa ou outra, mas não diria que se trata de nada muito sério. Não. O senhor foi preso, mas não do mesmo modo como quando prendem um ladrão. Se você vai preso do mesmo modo que um ladrão, é muito ruim, mas ser preso assim... Parece-me que é algo muito complicado; perdoe-me se falo alguma bobagem; algo muito complicado, que não entendo, mas algo que não é preciso entender, de qualquer modo.

– Não tem nada de bobagem no que acabou de dizer, Sra. Grubach, ou pelo menos eu concordo em parte com a senhora; é só que o modo com que julgo a coisa toda é mais duro que o seu, e creio que não é apenas algo complicado, mas simplesmente um rebuliço sem motivo. Só fui pego de surpresa, foi isso que aconteceu. Se eu tivesse me levantado assim que acordei, sem me deixar ficar confuso porque Anna não estava lá, se eu tivesse me levantado e não tivesse dado atenção a ninguém que me aparecesse no caminho e tivesse vindo direto ver a senhora, se tivesse feito algo como tomar meu café na cozinha excepcionalmente, pedido à senhora que me trouxesse as roupas do meu quarto, enfim, se eu tivesse agido com sensibilidade, nada mais teria acontecido, tudo o que estivera esperando para acontecer teria sufocado. As pessoas estão sempre despreparadas. No banco, por exemplo, estou sempre preparado, nada desse tipo de coisa poderia acontecer comigo lá, tenho minha própria assistente, há telefones para chamadas internas e externas à minha frente, na mesa, eu recebo visitas continuamente, representantes, funcionários, mas além disso, e mais importante, estou sempre ocupado com meu trabalho, e com isso digo que estou sempre alerta, seria até um prazer para mim ver-me tendo que lidar com algo desse tipo. Mas agora acabou, e eu nem queria mais falar disso, só queria ouvir o que você, uma senhora sensata, achou de tudo, e fico muito feliz em saber que estamos de acordo. Mas agora a senhora precisa me dar a mão, um acordo desses necessita ser confirmado com um aperto de mãos.

"Ela vai me dar a mão? O supervisor não o fez", pensou ele, e olhou para a mulher de outro modo, examinando-a. Ela se levantou, tendo ele também se levantado, um pouco constrangida, pois não conseguira entender tudo o que K. dissera. Como resultado desse constrangimento, ela disse algo que certamente não pretendia e certamente não era apropriado.

– Não leve a mal, Sr. K. – comentou, com lágrimas na voz e também, claro, esquecendo-se do aperto de mãos.

– Eu não sabia que estava levando a mal – disse K., sentindo-se subitamente cansado e vendo que, se a mulher de fato concordava com ele, isso seria de muito pouco valor.

Antes de sair pela porta, perguntou:

– A Srta. Bürstner está em casa?

– Não – respondeu a Sra. Grubach, sorrindo ao dar esse tiquinho de informação, dizendo algo sensato finalmente. – Está no teatro. Queria falar com ela? Devo deixar-lhe um recado?

– Eu, hã, só queria ter uma palavrinha com ela.

– Não sei dizer quando ela virá; ela costuma voltar tarde quando vai ao teatro.

– Não tem importância, mesmo – comentou K., de cabeça baixa ao virar-se para a porta. – Só queria pedir desculpas por ter ocupado o quarto dela hoje.

– Não é necessário fazer isso, Sr. K., o senhor é preocupado demais, a senhorita nem ficou sabendo de nada, não esteve em casa desde hoje cedo, e tudo foi arrumado novamente, você pode ver por conta própria.

A mulher abriu a porta do quarto da Srta. Bürstner.

– Obrigado. Vou confiar no que me diz – falou K., mas mesmo assim foi até a porta aberta.

O luar brilhava silencioso no interior do quarto escuro. Até onde se podia enxergar, estava tudo de fato no lugar, nem mesmo a blusa encontrava-se mais pendurada no puxador da janela. Os travesseiros sobre a cama pareciam incrivelmente fofos ali, deitados à meia-luz do luar.

– A Srta. Bürstner costuma chegar em casa tarde – explicou K., fitando a Sra. Grubach como se o horário fosse responsabilidade dela.

– As jovens são assim! – comentou a Sra. Grubach, para desculpar-se.

– Claro, claro – concordou K. –, mas pode acabar indo longe demais.

– Sim, pode sim – disse a Sra. Grubach –, o senhor tem razão, Sr. K. Creio que, nesse caso, eu certamente não poderia dizer algo de ruim da Srta. Bürstner, ela é uma moça boa, meiga, simpática, organizada, pontual, trabalhadeira, eu aprecio muito tudo isso, mas uma coisa é fato: ela tem que ser mais orgulhosa, ser menos solícita. Duas vezes só neste mês, logo ali na rua, eu a vi com um cavalheiro diferente. Não gosto mesmo de dizer isso, o senhor é a única pessoa a quem eu disse, Sr. K., eu juro por Deus, mas não vou ter opção a não ser ter uma palavrinha com a Srta. Bürstner sobre isso. E não é só isso com que me preocupo com relação a ela.

– Sra. Grubach, a senhora não está muito com a razão – comentou K., tão bravo que quase não conseguia esconder –, e acabou não entendendo o que eu dizia sobre a Srta. Bürstner, não foi isso que eu quis dizer. Na verdade, aviso desde já à senhora que não lhe diga nada, a senhora está bastante equivocada, eu conheço a Srta. Bürstner muito bem e não tem nada de verdade no que você disse. Quer saber? Acho que me excedi agora, não quero ficar no seu caminho, diga a ela o que achar correto. Boa noite.

— Sr. K. — interrompeu a Sra. Grubach, como se lhe pedisse algo e correndo até a porta dele, que o homem acabava de abrir. — Não quero falar com a Srta. Bürstner, ainda não, claro que vou continuar de olho nela, mas o senhor é a única pessoa a quem contei o que sei. E trata-se, afinal, de algo que todo mundo que aluga quartos tem de fazer se quer manter uma residência decente, é só o que estou tentando fazer.

— Decente! — exclamou K. pela fresta da porta. — Se quer manter uma residência decente, primeiro terá de me dispensar.

Com isso, ele bateu a porta. A mulher bateu uma vez, gentilmente, mas ele não lhe deu mais atenção.

Não queria nem um pouco ir dormir, então resolveu ficar de pé, e isso também lhe daria a chance de descobrir quando a Srta. Bürstner chegaria em casa. Talvez fosse possível, ainda que não muito apropriado, falar um pouco com ela. Deitado ali perto da janela, pressionando com os dedos seus olhos cansados, ele chegou a pensar por um momento que devia punir a Sra. Grubach persuadindo a Srta. Bürstner a desistir do aluguel ao mesmo tempo que ele. Mas imediatamente lhe ocorreu que seria excessivamente chocante, e poderia haver a suspeita de que ele queria mudar de casa por causa dos incidentes daquela manhã. Nada poderia ser mais absurdo e, acima de tudo, sem sentido e desprezível.

Quando se cansou de olhar pela janela, para a rua vazia, abriu ligeiramente a porta da sala de estar para poder ver quem entrasse no apartamento de onde estava, deitado no sofá. Ficou deitado ali quieto, fumando charuto, até cerca de onze da noite. Não pôde aguardar mais tempo que isso, e foi um pouco até o corredor, como se desse modo pudesse fazer a Srta. Bürstner chegar mais cedo. Não tinha desejo especial por ela, nem se lembrava direito de como ela era, mas agora queria falar com a moça e irritava-o o fato de que a moça chegar tarde significaria que o dia fora inteiro de inquietação e desordem até o final. Foi também por culpa dela que ele não jantara nessa noite e não pudera ir visitar Elsa, como pretendera. Podia ainda compensar as duas coisas, no entanto, se fosse ao bar onde Elsa trabalhava. Quis fazer isso mais tarde, após a discussão com a Srta. Bürstner.

Já passava muito das onze quando alguém pôde ser ouvido subindo a escada. K., que estivera perdido em seus pensamentos no corredor, subindo e descendo ruidosamente, como se estivesse no próprio quarto, fugiu para trás da porta. A Srta. Bürstner chegara. Tremendo, a moça puxou um xale de seda por cima dos ombros esguios enquanto trancava a porta. No momento seguinte, certamente entraria no quarto, onde K. não poderia intrometer-se no meio da noite; isso significava que ele teria de falar com ela agora, mas, infelizmente, ele não acendera a luz elétrica do quarto, de modo que, quando saísse do escuro, daria a impressão de que aquilo era um ataque e, certamente, no mínimo, geraria bastante alarme. Não havia tempo a perder, e sem ter mais que fazer o homem sussurrou pela fresta da porta:

– Srta. Bürstner.

Soou como se ele implorasse por algo, em vez de chamá-la.

– Tem alguém aí? – perguntou a Srta. Bürstner, olhando ao redor com olhos escancarados.

– Sim – respondeu K., e saiu.

– Ah, Sr. K.! – disse a moça com um sorriso. – Boa noite.
– E ofereceu-lhe a mão.

— Gostaria de falar algo com você, se me permite.
— Agora? – perguntou a Srta. Bürstner. – Tem de ser agora? Um pouco esquisito, não?
— Eu esperei por você desde as nove.
— Bom, eu estava no teatro. Não sabia que esperava por mim.
— O motivo pelo qual preciso falar com você surgiu somente hoje.
— Entendo. Bom, não vejo por que não, acho. Tirando que estou tão cansada que vou desabar a qualquer momento. Venha até o meu quarto uns minutinhos, então. Certamente, não podemos conversar aqui fora, acordaríamos todo mundo, e acho que isso seria mais desagradável para nós que para eles. Espere aqui até que eu acenda a luz do meu quarto, e depois desligue a outra.

K. fez como lhe foi dito, e até esperou que a Srta. Bürstner viesse do quarto e o convidasse baixinho, mais uma vez, para entrar.

— Sente-se – disse ela, acenando para o divã, enquanto ela mesma ficou de pé, junto do pé da cama, apesar do cansaço de que falara; nem tirara o chapéu, que era pequeno, mas decorado com uma abundância de flores. – Que queria falar comigo? Fiquei bem curiosa.

Gentilmente, ela cruzou as pernas.

— Espero que você me diga – K. começou – que a questão não é assim tão urgente, e que não precisamos discuti-la agora mesmo, mas...

— Nunca escuto as introduções – comentou a Srta. Bürstner.

— Isso facilita muito o meu trabalho – disse K. – Hoje, pela manhã, até certo ponto por minha causa, seu quarto foi um pouco desarrumado, isso aconteceu por causa de gente que não conheço e contra a minha vontade, mas, como eu disse, por minha causa; queria pedir desculpas por isso.

— Meu quarto? — perguntou a Srta. Bürstner, que, em vez de olhar ao redor do quarto, ficou investigando K.

— Sim — respondeu ele, e agora, pela primeira vez, os dois se olharam nos olhos —, não tem por que falar exatamente como aconteceu.

— Mas é o que há de interessante no caso — observou a Srta. Bürstner.

— Não — discordou K.

— Bom — disse ela —, não quero me intrometer em segredo nenhum; se você insiste que não é importante, não vou insistir. Fico muito feliz de perdoar-lhe o ocorrido, como me pede, principalmente porque não vejo nada que tenha sido deixado fora do lugar.

Com a mão pousada no quadril, a moça deu uma volta no quarto. No tapete, onde estavam as fotografias, ela parou.

— Olha isso aqui! — exclamou. — Minhas fotografias foram mesmo postas no lugar errado. Oh, que horror. Alguém realmente entrou no meu quarto sem permissão.

K. assentiu, e em sua mente amaldiçoou Kaminer, que trabalhava no banco e que estava sempre em atividade, fazendo coisas que nunca tinham uso nem propósito.

— Que esquisito — estranhou a Srta. Bürstner — eu ser forçada a proibi-lo de fazer algo de que você deveria ter se proibido de fazer, como entrar no meu quarto quando não estou aqui.

— Mas eu expliquei — falou K., e foi unir-se a ela, junto das fotografias — que não foi eu quem interferiu nas suas fotografias; mas, como não acredita em mim, terei de admitir que o comitê de investigação trouxe consigo três funcionários do banco, um deles deve ter tocado em suas fotografias, e, assim que tiver a chance, pedirei que seja demitido do banco. Sim, um comitê de investigação esteve aqui – K. acrescentou, enquanto a jovem o observava, inquisidora.

– Por sua causa? – perguntou.

– Sim – K. respondeu.

– Não! – exclamou a moça, rindo.

– Sim, vieram – comentou K. – Acredita que sou inocente, então, certo?

– Ora, inocente... – duvidou a moça. – Não quero sair fazendo qualquer pronunciamento que possa ter consequências sérias, não o conheço nem um pouco, e significa que estão lidando com um criminoso dos piores se mandam um comitê de investigação pegá-lo diretamente. Mas você não está em custódia agora... pelo menos suponho que não tenha escapado da prisão, considerando que parece bastante calmo... então não pode ter cometido crime desse nível.

– Sim – afirmou K. –, mas pode ser que o comitê de investigação visse que sou inocente, ou não tão culpado como se supusera.

– Sim, é realmente possível – concordou a Srta. Bürstner, que parecia muito interessada.

– Escute – pediu K. –, você não tem muita experiência em questões da lei.

– Não, é verdade, não tenho – disse a Srta. Bürstner –, e sempre me arrependi disso, visto que gostaria de saber de tudo e me interesso muito por questões da lei. Existe algo de muito atraente na lei, não? Mas com certeza aperfeiçoarei meu conhecimento nessa área, pois mês que vem começo a trabalhar num escritório de advocacia.

– Isso é muito bom – comentou K. –, pois então poderá me ajudar um pouco no meu processo.

— Pode ser que sim — falou a Srta. Bürstner —; por que não? Gosto de usar aquilo que sei.

— Eu falo muito sério — afirmou K. —, ou, pelo menos, um pouco sério, como você. O assunto é bobo demais para que eu contrate um advogado, mas seria muito bom contar com alguém que me desse bons conselhos.

— Sim, mas, se vou dar-lhe conselhos, terei de saber do que se trata o caso — comentou a Srta. Bürstner.

— Esse é exatamente o problema — disse K. — Eu mesmo não sei.

— Então estava de brincadeira comigo — observou a Srta. Bürstner, excessivamente decepcionada. — Não se deve tentar fazer algo assim a essa hora da noite.

E com isso a moça afastou-se das fotografias, onde os dois estiveram juntos por tanto tempo.

— Não, Srta. Bürstner — esclareceu K. — Não estou de brincadeira. Acredite, por favor! Já lhe disse tudo o que sei. Mais do que sei, na verdade, visto que nem era mesmo um comitê de investigação, foi somente como os chamei porque não sei mais de que os chamar. Quase não houve interrogatório, eu mal fui preso, mas por um comitê.

A Srta. Bürstner sentou-se no divã e tornou a rir.

— Como foi, então? — perguntou.

— Foi terrível — respondeu K., embora sua mente não estivesse mais no assunto, fora totalmente absorvida pelo olhar da Srta. Bürstner, que sustentava o queixo com uma das mãos, com o cotovelo apoiado na almofada sobre o divã, e acariciava lentamente o quadril com a outra.

— Isso é vago demais — afirmou ela.

— O que é vago? — K. perguntou. Depois se lembrou e disse: — Gostaria que eu lhe mostrasse como foi?

Ele queria se aproximar de algum modo, não queria ir embora.

– Já estou cansada – respondeu a Srta. Bürstner.

– Você voltou tão tarde – observou K.

– Vai começar a me dar bronca? Bem, creio que mereço, visto que não devia ter deixado que entrasse aqui, para começar, e acabou que nem tinha por quê.

– Ah, tinha um motivo, você vai entender quão importante – explicou K. – Posso puxar essa mesa do lado da sua cama e colocar aqui?

– O que acha que está fazendo? – indagou a Srta. Bürstner. – Claro que não!

– Sendo assim, não tenho como mostrar – confessou K., bem chateado, como se a Srta. Bürstner tivesse cometido alguma ofensa incompreensível contra ele.

– Tudo bem, então, se precisa demonstrar o que quer dizer, pegue logo a mesa – comentou ela, e, após uma curta pausa acrescentou, em voz baixa: – Estou tão cansada que vou permitir mais do que deveria.

K. colocou a mesinha no centro do quarto e sentou-se atrás dela.

– Você precisa ter uma noção adequada de onde as pessoas estavam situadas, é tudo muito interessante. Eu sou o supervisor, sentados ali no baú estão dois policiais, e perto das fotografias, em pé, estão três jovens. Pendurada no puxador da janela há uma blusa branca... menciono isso apenas por mencionar. E agora começa. Ah, sim, estou me esquecendo, a pessoa mais importante de todas, e estou em pé em frente à mesa. O supervisor está sentado totalmente confortável, com as pernas cruzadas e o braço sobre o encosto, como um desocupado. E agora começa de verdade. O supervisor fala como se tivesse que me acordar, na verdade grita comigo, se eu quisesse mesmo mostrar tudo claramente a você, eu teria que gritar também, e não é nada além do meu nome que ele grita.

A Srta. Bürstner, rindo ao escutar a história, colocou o dedo em frente aos lábios para pedir a K. que não gritasse, mas foi tarde demais. K. estava imbuído demais do papel e falou lentamente e alto:

– Josef K.!

Não foi tão alto quanto ele ameaçara, mas não obstante, assim que ele subitamente berrou, o grito pareceu gradualmente se espalhar ao redor do quarto.

Houve uma série de batidas altas, curtas e contínuas na porta do cômodo adjacente. A Srta. Bürstner ficou pálida e levou a mão ao peito. K. levou um baita susto, já que por um momento não pudera pensar em nada além dos eventos daquela manhã e na garota para quem os representava. Mal tinha se recomposto quando saltou para a Srta. Bürstner e tomou-lhe a mão.

– Não tenha medo – sussurrou –, eu resolvo tudo. Mas quem poderia ser? É apenas a sala de estar atrás daquela porta, e ninguém dorme lá.

– Dorme, sim – sussurrou a Srta. Bürstner no ouvido de K. – Um sobrinho da Sra. Grubach, capitão do exército, tem dormido lá desde ontem. Não há mais quartos livres. Também tinha me esquecido. Por que teve que gritar daquele jeito? Fiquei muito assustada.

– Não tem por quê – respondeu K., e, tendo a moça afundado na almofada, beijou-lhe a testa.

– Vá embora, vá embora – ela ordenou, sentando-se num salto –, saia já daqui, ande, o que você quer? Ele está ouvindo atrás da porta, pode ouvir tudo. Assim me causa um problemão!

— Não vou — retrucou K. — enquanto você não se acalmar um pouco. Venha aqui até o outro canto do quarto, ele não poderá nos ouvir lá.

Ela deixou que ele a levasse até lá.

— Não se esqueça — falou ele. — Embora isso talvez lhe seja desagradável, você não está em perigo. Sabe quanta estima a Sra. Grubach tem por mim, é ela quem tomará todas as decisões aqui, principalmente porque o capitão é sobrinho dela, mas ela acredita em tudo o que eu digo sem questionar. Além disso, ela pegou emprestada uma grande soma de dinheiro comigo, e isso a torna dependente de mim. Confirmarei qualquer coisa que você disser para explicar estarmos aqui juntos, por mais inapropriado que seja, e garanto fazer que a Sra. Grubach não apenas diga que acredita na explicação em público, mas que acredite de verdade, sinceramente. Você não precisará pensar em mim, de modo algum. Se quiser que saibam que eu a ataquei, a Sra. Grubach será informada disso e acreditará sem nem perder a confiança que tem em mim, de tanto respeito que sente pela minha pessoa.

A Srta. Bürstner fitava o piso à frente, calada, um pouco imersa em si mesma.

— Por que a Sra. Grubach não acreditaria que eu a ataquei? — acrescentou K.

Ele olhava para os cabelos dela, em frente a ele, repartidos, penteados para baixo, avermelhados e firmemente presos no lugar. Achou que ela fosse olhar para ele, mas sem fazer gesto, ela disse:

— Perdoe-me, mas foi tão repentinamente que bateram na porta que fiquei assustada, não tanto por quais poderiam ser as consequências de o capitão entrar aqui. E também ficou tudo tão quieto depois que você gritou, e depois bateram, foi isso que me deixou tão chocada, e eu estava sentada perto da porta, e bateram bem ao meu lado. Obrigado pelas sugestões, mas não as aceitarei. Posso suportar a responsabilidade por tudo o que acontece no meu quarto, e posso fazê-lo perante qualquer um. Surpreendo-me de não notar quão ofensivas são as suas sugestões e o que podem insinuar com relação a mim, embora eu definitivamente reconheça as suas boas intenções. Mas agora, por favor, vá, deixe-me quieta, preciso que vá agora mais do que antes. Os minutinhos que você pedira tornaram-se meia hora, mais de meia hora, agora.

K. tomou a mão dela e depois o pulso:

– Não está brava comigo, está? – perguntou.

Ela puxou a mão e respondeu:

– Não, não, nunca fico brava com ninguém.

Ele a pegou pelo pulso mais uma vez, ela tolerou, agora, e, desse jeito, levou-o até a porta. Ele pretendia ir embora, mas, quando chegou à porta, parou como se não esperasse encontrar uma porta ali. A Srta. Bürstner usou esse momento para liberar-se, abrir a porta, passar para o corredor e gentilmente lhe dizer dali:

– Ora, vamos, por favor. Olhe – ela apontou para a porta do capitão, debaixo da qual se via uma luz acesa –, ele acendeu a luz e está rindo de nós.

– Tudo bem, já vou – K. disse, e avançou, tomou-a nos braços, beijou-lhe na boca e depois no rosto todo, como um animal sedento bate a língua quando finalmente encontra água.

Por fim, ele a beijou no pescoço e na garganta e deixou os lábios pressionados ali por um bom tempo. Ele não ergueu o rosto enquanto não ouviu um barulho que veio do quarto do capitão.

– Agora eu me vou – afirmou, querendo dirigir-se à Srta. Bürstner pelo primeiro nome, mas não o sabia.

Ela assentiu, muito cansada, oferecendo a mão para ser beijada ao virar-se, como se não soubesse o que estava fazendo, e retornou ao quarto de cabeça baixa. Um pouco depois, K. encontrava-se deitado na cama. Em pouco tempo pegou no sono, mas antes disso pensou um pouco em seu comportamento, estava satisfeito com ele, mas se sentia um tanto surpreso de não estar mais satisfeito; estava seriamente preocupado com a Srta. Bürstner por causa do capitão.

CAPÍTULO DOIS
Primeiro interrogatório

K. foi informado por telefone de que haveria uma pequena audiência acerca do caso dele no domingo seguinte. Foi informado de que esses interrogatórios ocorreriam regularmente, talvez não toda semana, mas com boa frequência. Por um lado, era do interesse de todos levar os procedimentos rapidamente à conclusão, mas por outro, cada aspecto dos questionamentos tinha de ser conduzido minuciosamente sem durar demais, devido ao estresse associado. Por esses motivos, fora decidido conduzir uma série de breves interrogatórios, um seguido do outro. Domingo fora escolhido como o dia das audiências para que K. não fosse atrapalhado na vida profissional. Supunham que ele concordaria com isso, mas, se quisesse outra data, então, contanto fosse possível, isso seria arranjado. Os interrogatórios poderiam até ser realizados à noite, por exemplo, mas K., provavelmente, não estaria preparado o suficiente a essa hora. Enfim, contanto que K. não fizesse objeção, as audiências seriam mantidas aos domingos. Era essencial que ele não faltasse jamais, provavelmente não havia necessidade de lhe apontar isso. A ele seria dado o número do prédio no qual ele tinha de se apresentar, localizado numa rua nos subúrbios, bem distante do centro da cidade, local em que K. jamais estivera.

Assim que recebeu essas notícias, K. desligou o telefone sem dar resposta; decidira imediatamente ir até lá no domingo, era certamente necessário, os procedimentos haviam começado e ele tinha de encará-los, e esse primeiro interrogatório provavelmente seria também o último. Ele estava ainda imerso em pensamentos, ao lado do telefone, quando ouviu a voz do diretor assistente atrás de si – ele queria usar o telefone, mas K. estava no caminho.

– Más notícias? – perguntou o diretor assistente casualmente, sem querer descobrir qualquer coisa, mas apenas para remover K. de perto do aparelho.

– Não, não – respondeu K., abrindo caminho, mas sem ir embora de todo.

O diretor assistente pegou o aparelho e, enquanto aguardava pela conexão, virou-se e disse a K.:

– Uma pergunta, Sr. K.: gostaria de me dar o prazer de me acompanhar num passeio de barco domingo de manhã? Tem um bom pessoal que virá, você deve conhecer alguns deles. Um deles é Hasterer, advogado público. Gostaria de vir também? Venha sim!

K. tentou prestar atenção ao que dizia o diretor assistente. Não era assunto de pouca importância para ele, já que esse convite do diretor, com quem ele nunca se dera muito bem, significava que o homem estava tentando melhorar suas relações com ele. Isso mostrava quão importante K. se tornara no banco e como o segundo mais importante funcionário parecia valorizar a amizade dele, ou pelo menos a imparcialidade. Estava apenas falando ao lado do telefone enquanto esperava pela conexão, mas, ao oferecer o convite, o diretor assistente estava sendo muito humilde. K., no entanto, teria de humilhá-lo uma segunda vez, e disse:

– Muito obrigado, mas creio que não terei tempo no domingo, tenho um compromisso marcado.

– Pena – completou o diretor assistente, e voltou-se para a conversa ao telefone, que acabara de ser conectado.

Não foi uma conversa longa, mas K. permaneceu, confuso, ao lado do aparelho o tempo todo. Foi somente quando o diretor assistente desligou que K. levou um susto e recobrou a noção, e disse, no intuito de, parcialmente, escusar-se de estar ali sem motivo algum:
– Acabei de receber um telefonema, tem um lugar aonde preciso ir, mas se esqueceram de me dizer o horário.
– Pergunte, então – falou o diretor assistente.
– Não é tão importante – afirmou K., embora ao dizer isso sua desculpa anterior, já bastante fraca, tornou-se mais fraca ainda.

Ao caminhar, o diretor assistente foi falando de outras coisas. K. forçava-se a responder, mas seus pensamentos resumiam-se apenas ao domingo próximo, como seria melhor chegar lá às nove da manhã, que é o horário em que os fóruns sempre começam a trabalhar nos dias de semana.

O clima estava ameno no domingo. K. sentia-se muito cansado, visto que ficara até tarde na rua bebendo, celebrando com alguns dos *habitués*, e quase perdera a hora. Vestira-se às pressas, sem tempo de pensar e reunir os diversos planos que arquitetara durante a semana. Sem café da manhã, correu para o subúrbio de que lhe falaram. Estranhamente, embora tivesse pouco tempo para olhar ao redor, deparou com os três funcionários do banco envolvidos em seu caso, Rabensteiner, Kullich e Kaminer. Os primeiros dois viajavam num bonde que cruzava a rota de K., mas Kaminer estava sentado no terraço de um café e debruçara-se, por curiosidade, sobre a murada quando K. passou. Todos pareciam estar olhando para ele, surpresos em ver seu superior às pressas; era uma espécie de orgulho o que fazia K. querer ir a pé, o assunto era dele e a ideia de obter ajuda de quaisquer estranhos, por menor que fosse, causava-lhe repulsa, ele queria também evitar pedir ajuda, porque isso poderia introduzir a pessoa na questão, por pouco que fosse. E, afinal, não desejava nem um pouco se humilhar perante o comitê sendo pontual demais. De todo modo, agora estava correndo para poder estar lá às nove horas, se possível, mesmo não tendo esse horário marcado para chegar.

Ele julgara que reconheceria o edifício a distância por algum tipo de placa, sem saber exatamente como seria essa placa, ou por algum tipo específico de atividade em frente à entrada. Disseram a K. que o edifício ficava na Juliusstrasse, mas, quando ele parou na entrada da rua, ela consistia, dos dois lados, em quase nada além de construções cinza e monótonas, altos prédios residenciais ocupados por gente pobre. Agora, numa manhã de domingo, a maioria das janelas estava ocupada, homens em mangas de camisa debruçados, fumando, ou segurando crianças cuidadosa e gentilmente nos parapeitos. Outras janelas estavam cobertas de roupa de cama, acima da qual a cabeça desgrenhada de uma mulher aparecia brevemente. As pessoas se falavam de lados opostos da rua, e uma dessas falas fez o próprio K. cair no riso. Era uma rua comprida, e de forma igualmente espaçadas havia lojinhas abaixo do nível da rua, vendendo todo tipo de alimento, a qual se chegava descendo alguns degraus. Mulheres iam e vinham delas ou ficavam conversando nas escadas. Um vendedor de frutas, levando mercadoria para as vitrines, estava tão sem atenção quanto K. e quase o derrubou com seu carrinho. Nesse momento, um gramofone, que em melhores partes da cidade seria visto como antiquado, começou a tocar uma melodia sinistra.

K. foi avançando pela rua, lentamente, como se tivesse tempo de sobra, agora, ou como se o magistrado que faria o interrogatório o observasse de uma das janelas e, portanto, soubesse que K. encontrara o caminho até o fórum. Passava pouco das nove. O edifício ficava bem no final da rua e cobria tanta área que era quase extraordinário, e o portão, principalmente, era alto, comprido. Fora claramente projetado para as carroças pertencentes aos diversos armazéns espalhados pelo jardim, agora todos trancados e que ostentavam os nomes de empresas, algumas das quais K. conhecia por seu trabalho no banco. Em contraste com seus costumes, ele permaneceu um pouco na entrada no jardim, assimilando todos esses detalhes externos. Perto dele havia um homem descalço sentado numa caixa de madeira, lendo jornal. Havia dois rapazes brincando com um carrinho de mão. Diante de uma bomba havia uma jovem magra, de jaqueta de lã, que, quando a água fluiu para dentro de sua lata, olhou para K. Havia um pedaço de corda estendido entre duas janelas num canto do jardim, com roupas penduradas para secar. Um homem, parado debaixo dele, dava instruções para dirigir o trabalho sendo feito.

K. foi até a escadaria para chegar ao local onde a audiência ocorreria, mas parou mais uma vez quando, ao lado dessa escadaria, viu outras três entradas, e parecia haver também uma pequena passagem no final do jardim, que dava para um segundo jardim. Irritou-o não lhe terem dado direções mais precisas para chegar ao local, isso significava que estavam sendo especialmente negligentes com ele ou especialmente indiferentes, e K. resolveu que deixaria isso claro para eles falando muito alto e do modo mais direto. No fim, resolveu subir a escadaria, com os pensamentos brincando em torno de algo que se lembrara do policial, Willem, que lhe dissera que o tribunal atraía os culpados, de que se seguia que o tribunal devia estar na escadaria que K. selecionara por acaso.

Em seu caminhar, ele perturbou um grupo grande de crianças que brincavam na escadaria, que olharam para ele ao passar por entre suas fileiras.

– Na próxima vez em que eu vier – disse consigo –, devo trazer doces para fazer com que gostem de mim ou uma bengala com a qual bater neles.

Pouco antes de chegar ao primeiro patamar da escadaria, teve inclusive de esperar um pouquinho até que uma bola terminasse seu movimento, dois rapazinhos de rosto astuto como os de patifes crescidos o seguravam pelas calças para que esperasse; se quisesse livrar-se deles, teria de machucá-los, e ele receara o barulho que podiam fazer gritando.

No primeiro andar, começou a verdadeira busca. Ainda se sentia incapaz de perguntar pelo comitê de investigação, então inventou um marceneiro chamado Lanz – o nome ocorreu-lhe porque o capitão, sobrinho da Sra. Grubach, chamava-se Lanz – para poder perguntar em cada cômodo se o marceneiro Lanz morava ali e assim obter a chance de dar uma olhada no interior. No entanto, isso foi possível sem qualquer artimanha, já que quase todas as portas foram deixadas abertas e as crianças entravam e saíam correndo. Boa parte eram quartos pequenos, de uma única janela, onde também se cozinhava. Muitas mulheres seguravam bebês num braço e trabalhavam no fogão com o outro. Meninas mais crescidas, vestidas somente com aventais, trabalhavam duro indo daqui para lá. Em cada quarto, as camas estavam ainda em uso por pessoas doentes, ou que ainda dormiam, ou gente esticada nelas, totalmente vestidas. K. foi batendo nos apartamentos cujas portas estavam fechadas e perguntando se o marceneiro Lanz morava ali. Em geral, era uma mulher que abria a porta, ouvia a pergunta e se virava para alguém de dentro do cômodo, que se levantava da cama.

– O cavalheiro está perguntando se um marceneiro chamado Lanz mora aqui.

– Marceneiro chamado Lanz? – perguntava a pessoa da cama.

– Isso mesmo – respondeu K., embora fosse evidente que o comitê de investigação não se encontrava por ali e, portanto, a tarefa já se tinha concluído.

Havia muitos que julgavam ser muito importante para K. encontrar o marceneiro Lanz e pensavam longamente na pergunta, depois mencionavam um marceneiro que não se chamava Lanz ou davam um nome que tinha vaga similaridade com Lanz, ou perguntavam aos vizinhos ou acompanhavam K. até uma porta muito distante, onde achavam que alguém desse tipo morava, nos fundos do edifício, ou que alguém poderia responder melhor a K. do que eles puderam. K. acabou desistindo de perguntar, pois não queria ser levado a todo canto, de andar em andar, desse jeito. Arrependera-se do plano inicial, que no começo lhe parecera tão prático. Quando chegou ao quinto andar, resolveu abandonar a procura, deixou para trás um jovem e amigável operário que queria levá-lo ainda mais adiante e desceu as escadas. Mas, então, a ideia do tempo todo que desperdiçava o deixou contrariado, e ele retornou e bateu na primeira porta do quinto andar. A primeira coisa que viu no quartinho foi um relógio enorme na parede, que já mostrava dez horas da manhã.

– Tem um marceneiro chamado Lanz que mora aqui? – perguntou.

– Como? – questionou sem entender uma jovem de olhos negros brilhantes que, naquele momento, lavava roupas íntimas de crianças num balde.

Ela apontou com a mão molhada a porta aberta de um cômodo adjacente.

K. achou que tinha invadido uma reunião. Uma sala de tamanho médio, de duas janelas, estava apinhada com o mais diverso grupo de pessoas – ninguém prestou atenção à pessoa que acabara de entrar. Logo abaixo do teto, era cercada por uma galeria também totalmente ocupada, e onde as pessoas podiam ficar de pé somente com as cabeças baixas e as costas tocando o teto. K., que achou o ar abafado demais, tornou a sair e disse à jovem, que provavelmente entendera errado o que ele dissera:

– Perguntei de um marceneiro, alguém chamado Lanz.
– Sim – disse a mulher. – Por favor, entre.

K. provavelmente não teria obedecido se a moça não tivesse ido até ele, tomado a maçaneta da porta e dito:

– Terei de fechar a porta depois que você entrar; ninguém mais pode entrar.

– Acho sensato – falou K. –, mas já está lotado.

Contudo, ele entrou mesmo assim. Passou por entre dois homens que conversavam ao lado da porta – um deles tinha as duas mãos estendidas bem à frente, fazendo gesto de contar dinheiro, o outro o olhava bem nos olhos – e alguém o pegou pela mão. Era um jovenzinho de rosto rosado.

– Entre, entre.

K. deixou-se ser levado pelo rapaz, e no fim das contas havia – por mais surpreendente que fosse, numa densa multidão de pessoas que andavam daqui para lá – uma passagem estreita que podia muito bem ser a divisão entre duas facções; essa ideia foi reforçada pelo fato de que nas primeiras fileiras à esquerda e à direita não havia quase ninguém olhando na direção dele. K. não via nada além das costas de pessoas que dirigiam sua fala e seus gestos somente para os membros do seu lado. A maioria usava preto, longas sobrecasacas antiquadas que se dependuravam soltas ao redor deles. Essas roupas foram a única coisa que intrigou K., que de outro modo teria pensado na assembleia toda como um encontro de políticos locais.

Do outro lado da câmara, aonde K. fora levado, havia uma mesinha disposta num ângulo sobre um pódio muito baixo, que estava tão apinhado quanto qualquer outro canto, e atrás da mesa, perto da beirada do pódio, sentava-se um homenzinho gordo e ofegante, que falava com alguém detrás dele. Esse segundo homem estava de pé, com as pernas cruzadas e os cotovelos apoiados sobre o encosto da cadeira, provocando muito riso. Vez por outra, ele jogava o braço ao ar como se imitasse alguém de modo pejorativo. O rapaz que conduzira K. teve certa dificuldade de se reportar ao homem. Já tinha tentado por duas vezes dizer-lhe algo, erguido nas pontas dos pés, mas não conseguia a atenção do homem sentado acima dele. Foi somente quando uma das pessoas que ocupavam o pódio atraiu a atenção daquele homem, que se virou e debruçou-se para ouvir o que o rapaz dizia baixinho. Ele, então, sacou o relógio e correu olhar para K.

– Você devia ter chegado uma hora e cinco minutos atrás – disse.

K. ia dar-lhe uma resposta, mas não teve tempo, pois mal o homem falara, um murmúrio geral ergueu-se por todo o lado direito da sala.

– Você devia ter chegado uma hora e cinco minutos atrás – repetiu o homem, erguendo a voz, dessa vez, e olhou rapidamente ao redor, para toda a sala abaixo dele. O murmúrio também se tornou imediatamente mais alto e, como o homem não dizia mais nada, foi morrendo gradualmente.

O salão ficou muito mais quieto do que estivera quando K. entrara. Somente as pessoas na galeria não paravam de fazer comentários. Até onde se podia distinguir, lá na meia-luz, na poeira e na sombra, pareciam estar menos bem vestidos que os que estavam embaixo. Muitos tinham trazido travesseiros, que colocaram entre a cabeça e o teto, para que não se machucassem prensados nele.

K. resolvera que devia mais observar do que falar; então não se defendeu por ter supostamente chegado atrasado, e apenas disse:

– Bom, se cheguei atrasado mesmo, agora estou aqui.

Disso se seguiu ruidosa salva de palmas, mais uma vez do lado direito do salão. "Gente fácil de colocar do nosso lado", pensou K., e incomodou-se somente com a quietude do lado esquerdo, diretamente atrás dele, e de onde vieram aplausos de apenas um ou outro indivíduo. Ele imaginou o que poderia dizer para que todos o apoiassem de todo ou, se isso não fosse possível, que pelo menos conseguisse o apoio dos outros por um tempo.

– Sim – afirmou o homem –, mas não sou mais obrigado a ouvir o seu caso.

Mais uma vez houve um murmurar, mas dessa vez perturbaram, pois o homem dispensou com um aceno as objeções das pessoas e prosseguiu:

– Contudo, fazendo exceção, darei prosseguimento hoje. Mas você não deve nunca mais chegar assim tão tarde. E, agora, aproxime-se!

Alguém saltou do pódio a fim de que houvesse espaço para K., e ele subiu. Ficou prensado contra a mesa, e a pressão da multidão atrás era tamanha que ele teve de pressionar de volta para não empurrar a mesa do juiz para fora do pódio e talvez o juiz junto com ela.

O juiz, contudo, não prestou atenção alguma nisso; ajeitou-se confortavelmente na cadeira e, após dizer algumas palavras para encerrar a discussão com o homem atrás dele, foi até um caderninho, o único item sobre a mesa. Era como um caderno de escola e estava bastante deformado de tanto manuseio.

– Agora – falou o juiz, manuseando o caderno. Ele se virou para K. com a autoridade de quem sabe dos fatos e disse: – Você é pintor de casas?

– Não – respondeu K. –, sou escriturário-chefe num grande banco.

Essa resposta foi seguida por riso entre os membros da facção da direita do salão, e foi tão contundente que K. não pôde impedir-se de cair no riso também. As pessoas se apoiavam pondo as mãos nos joelhos e chacoalhavam como se sofressem um sério ataque de tosse. Até mesmo alguns na galeria também riam. O juiz ficara bastante contrariado, mas parecia não ter poder algum sobre os que estavam abaixo dele no salão, então tentou reduzir o dano que fora feito na galeria e pulou para assustá-los, suas sobrancelhas, até então pouco dignas de nota, expandiram-se e ficaram enormes, negras e fofas sobre os olhos dele.

O lado direito do salão continuava em silêncio, no entanto, as pessoas sentadas ali em fileiras mantinham seus rostos virados para o pódio, escutando o que se dizia ali, observando o barulho que vinha do outro lado do salão com a mesma quietude, e até permitiram que alguns indivíduos de suas fileiras, aqui e ali, passassem para a outra facção. Os membros da facção da esquerda não somente estavam em menor número do que os da direita, mas provavelmente não eram mais importantes que esses, embora seu comportamento fosse mais calmo, o que fazia parecer que eram. Quando K. começou a falar, estava convencido de que o fazia do mesmo jeito que os demais.

– Sua pergunta, senhor, quanto a se sou pintor de casas, na verdade mais que isso, você não perguntou nada, apenas impôs o fato sobre mim, é um sintoma de todo o modo pelo qual esses procedimentos contra mim vêm sendo conduzidos. Talvez queira objetar que exista algum procedimento contra mim. E estará com a razão, visto que somente existem procedimentos se eu reconhecer que existem. Mas, por hora, reconheço, por pena de vocês, em geral. É impossível observar todo esse processo sem sentir pena. Não digo que as coisas têm sido feitas sem cuidado, mas gostaria de deixar claro que sou eu quem tem de fazer esse reconhecimento.

K. parou de falar e olhou para o salão. Falara com firmeza, mais firmeza do que pretendera, mas falara a verdade. Devia ter sido recompensado com um pouco de aplauso daqui e de lá, mas ficou tudo quieto, estavam todos, obviamente, esperando o que se seguiria, talvez a quietude deitasse as bases de um surto de atividade que poria um fim em todo esse imbróglio. Foi um tanto incômodo que somente então a porta do final do salão foi aberta, a jovem lavadeira, que parecia ter terminado seu trabalho, entrou e, apesar de todo o cuidado, atraiu a atenção de alguns ali. Foi apenas o juiz que deu a K. algum prazer direto, ao parecer ter sido imediatamente mobilizado pelas palavras de K. Até então, escutara a tudo de pé, pois a fala de K. o pegara de surpresa enquanto ele dirigia sua atenção à galeria. Agora, na pausa, ele se sentou muito lentamente, como se não quisesse que alguém notasse. Mais uma vez, tomou o caderninho, provavelmente no intuito de dar a impressão de estar mais calmo.

– Isso não vai ajudá-lo, senhor – continuou K. – Até mesmo esse seu caderninho confirmará o que eu disse.

K. ficou satisfeito de não ouvir nada além de suas próprias palavras tranquilas naquela sala cheia de estranhos, e até ousou pegar o caderninho do juiz de instrução casualmente e, tocando-o apenas com as pontas dos dedos, como se o objeto fosse repugnante, ergueu-o no ar, segurando-o somente por uma das folhas do meio, de modo que as outras, de cada lado desta, escritas inteiramente, manchadas e amareladas, murcharam para baixo.

– Essas são as anotações oficiais do juiz de instrução – explicou ele, e deixou o caderno cair na mesa. – Pode ler quanto quiser no seu caderninho, senhor, eu realmente não tenho nada nesse caderno a temer, ainda que não tenha acesso a ele, tanto quanto não o quero em minha mão, posso apenas tocá-lo com dois dedos.

O juiz pegou o caderno de onde caíra na mesa – o que podia apenas ser sinal de profunda humilhação, ou pelo menos o gesto deve ter sido percebido assim –, tentou arrumá-lo um pouco e segurou-o à frente mais uma vez, no intuito de ler.

As pessoas da primeira fila olharam para ele, mostrando tamanha tensão no rosto que ele lhes devolveu o olhar por um tempo. Cada um deles era um homem velho, alguns tinham até barbas brancas. Seriam eles talvez o grupo essencial que poderia virar toda a assembleia para um lado ou outro? Tinham afundado num estado de imobilidade enquanto K. dava seu discurso, e não foi possível resgatá-los de tal passividade nem mesmo quando o juiz estava sendo humilhado.

– O que aconteceu comigo – K. continuou, com menos vigor do que tivera antes, e continuamente analisando os rostos da primeira fila, e isso conferiu a sua fala um quê de nervosismo e distração –, o que aconteceu comigo não é apenas um caso isolado. Se fosse, não teria tanta importância, como não tem tanta importância para mim, mas é um sintoma de procedimentos que são conduzidos contra muitos. É em prol desses que estou aqui agora, não somente por mim.

Sem ter pretendido, erguera a voz. Em algum canto do salão, alguém ergueu as mãos e aplaudiu com gritos.

– Bravo! Apoiado! Bravo! Isso mesmo, bravo!

Alguns dos homens da primeira fila apalpavam suas barbas, nenhum deles olhou para ver quem gritava. Nem mesmo K. considerava-se digno de qualquer importância, mas o fato ergueu-lhe os ânimos; ele não mais considerava necessário que todos os presentes no salão o aplaudissem, bastaria que a maioria deles começasse a pensar no caso e apenas um ou outro deles, aqui e ali, fosse persuadido.

– Não estou tentando ser um orador bem-sucedido aqui – explicou K. após esse pensamento –, isso provavelmente está além das minhas capacidades. Estou certo de que o juiz de instrução sabe expressar-se muito melhor do que eu, faz parte do trabalho dele, afinal. Tudo que quero é uma discussão pública de um problema público. Escutem: dez dias atrás eu fui preso, e o fato em si é algo de que rio, mas isso não vem ao caso. Vieram ter comigo de manhã, quando eu ainda estava na cama. Talvez a ordem fora dada de prender algum pintor de casas, isso parece possível após o que o juiz disse, alguém que é tão inocente quanto eu, mas foi a mim que escolheram. Havia dois policiais broncos na sala de estar. Não tiveram o trabalho de tomar melhores precauções para o caso de eu ser um ladrão perigoso. E esses policiais eram uma ralé sem princípios, falaram nos meus ouvidos até eu não suportar mais, queriam suborno, queriam me convencer a dar-lhes minhas roupas, queriam dinheiro, supostamente para poderem levar algo para o café da manhã após terem descaradamente comido o meu café da manhã perante os meus olhos. E não parou por aí. Fui levado para falar com o supervisor em outro cômodo. Tratava-se do quarto de uma senhora por quem tenho muito respeito, e fui forçado a ficar assistindo enquanto o supervisor e os policiais faziam a maior bagunça nesse quarto por minha causa, embora não por minha culpa. Não foi nada fácil manter a calma, mas consegui, e estava totalmente calmo quando perguntei ao supervisor o porquê de eu ter sido preso. Se ele estivesse aqui, teria de confirmar o que digo. Posso vê-lo agora mesmo, sentado na cadeira que pertencia à moça que mencionei, a verdadeira imagem da preguiça e da arrogância. Sabem o que ele respondeu? O que ele me disse, senhores, foi basicamente nada; vai ver ele realmente não soubesse de nada, apenas informou que eu estava preso e deu-se por satisfeito. Na verdade, ele fizera mais que isso, e levara três funcionários do banco em que trabalho até o quarto da moça; eles se ocuparam de interferir numas fotografias pertencentes à moça, fazendo uma baderna. Havia, claro, mais um motivo para levar esses funcionários; assim como a proprietária e sua empregada, eles deviam espalhar a notícia de que eu ia preso e prejudicar minha reputação e, principalmente, remover-me do cargo que tenho no banco. Bom, ninguém sucedeu em nada disso, nem um pouco, nem mesmo a proprietária, que é pessoa bastante simples, e lhes darei o nome completo dela agora, com todo o respeito, seu nome é Sra. Grubach; nem mesmo a Sra. Grubach foi compreensiva o bastante para ver que um procedimento como esse não faz mais sentido do que um ataque perpetrado na rua por jovens que não são mantidos sob controle adequado. Eu repito: essa história toda não me causou nada além de desagrado e irritação temporária, mas não poderia ter causado consequências muito piores?

K. cessou a fala nesse ponto e olhou para o juiz, que nada disse. Ao fazer isso, pensou ter visto o juiz usar um movimento dos olhos para mandar sinal para alguém da multidão. K. sorriu e disse:

– E agora o juiz, bem à minha frente, está mandando um sinal secreto a alguém entre vocês. Parece haver alguém recebendo ordens de cima. Não sei se o sinal tem intenção de produzir vaias ou aplausos, mas logo vou resistir em tentar adivinhar qual é o significado. Não faz a menor diferença para mim, e concedo a Vossa Excelência, o juiz, minha total e pública permissão para parar de enviar sinais secretos a seu subordinado pago lá embaixo e dar suas ordens em palavras; que diga apenas "Vaiem agora", e da próxima vez "Aplaudam agora!".

Seja por embaraço, seja por impaciência, o juiz pôs-se a balançar para a frente e para trás no assento. O homem atrás dele, com quem ele conversava anteriormente, tornou a inclinar-se para a frente e oferecer quaisquer palavras de encorajamento ou algum conselho específico. Abaixo deles, no salão, as pessoas conversavam entre si, baixinho, mas animadas. As duas facções, inicialmente, pareciam sustentar pontos de vista fortemente opostos um ao outro, mas agora começavam a se misturar, alguns apontavam para K., outros apontavam para o juiz. O ar no salão encontrava-se abafado e extremamente opressivo; os que estavam sentados mais ao fundo mal podiam ser visto por trás dele. Devia ser complicado, principalmente para os visitantes que se sentavam na galeria, pois eram forçados a perguntar em voz baixa a outros participantes da assembleia o que exatamente acontecia, se bem que, com olhares tímidos para o juiz. As respostas que recebiam eram igualmente discretas e dadas detrás da proteção de uma mão erguida em frente à boca.

– Eu estou quase concluindo o que tenho a dizer – disse K., e, como não havia campainha disponível, ele socou a mesa com o punho de um jeito que assustou o juiz e seu conselheiro e os fez olhar para cima. – Nada disso me preocupa; portanto, posso fazer uma avaliação tranquila do caso, e, supondo que esse suposto tribunal tem alguma importância real, será de grande valia para os senhores ouvir o que tenho a dizer. Se quiserem discutir sobre o que digo, por favor, não se deem o trabalho de escrever para mais tarde, não tenho tempo a perder e logo partirei.

Houve um silêncio imediato, que mostrou como K. controlava bem a multidão. Não se ouviram gritos entre eles, como ocorrera no início, ninguém nem o aplaudiu, mas, se já não tinham sido persuadidos, pareciam muito perto de serem.

K. ficou satisfeito com a tensão entre todas aquelas pessoas que o ouviam, um sussurrar erguia-se do silêncio e era mais revigorante do que poderia ter sido o mais enlevado aplauso.

– Não há dúvida – ele falou baixinho – de que existe uma enorme organização determinando o que é dito por esse tribunal. No meu caso, isso inclui minha prisão e o interrogatório realizado aqui hoje, uma organização que emprega policiais que podem ser subornados, supervisores imbecis e juízes de que nada melhor pode ser dito além de que não são tão arrogantes como outros. Essa organização até mantém um judiciário de alto nível junto com sua série de incontáveis empregados, escriturários, policiais e toda a demais assistência de que precisa, quem sabe até executores e torturadores, não tenho receio de usar tais palavras. E qual é, senhores, o propósito dessa organização imensa? Seu propósito é prender gente inocente e conduzir processos sem motivo contra eles, o que, como no meu caso, leva a resultado nenhum. Como evitar que os funcionários mergulhem em profunda corrupção se tudo é tão sem sentido? Impossível; nem mesmo o mais elevado juiz seria capaz de alcançar tal objetivo por si. É por isso que há policiais tentando roubar roupas daqueles que vão prender, é por isso que supervisores invadem as casas de pessoas que não conhecem, é por isso que gente inocente é humilhada perante plateias em vez de obter um julgamento adequado. Os policiais somente falaram dos depósitos nos quais colocavam os pertences daqueles que prendiam, eu gostaria de ver esses depósitos nos quais os pertences conquistados com suor pelas pessoas que vão presas são largados para apodrecer, se é que não são roubados pelas mãos criminosas dos funcionários do depósito.

K. foi interrompido por um guincho vindo dos fundos do salão, ele fez sombra nos olhos para enxergar tão longe, visto que a luz fraca do dia tornava a fumaça esbranquiçada e difícil de ver através dela. Era a lavadeira que K. reconhecera como a provável causadora da perturbação, assim que entrara. Estava difícil ver se era de fato culpa dela ou não. K. podia ver somente que um homem a levara até um canto ao lado da porta e pressionava o corpo contra o dela. Mas não era a mulher quem gritava, mas o homem, que abrira a boca e olhava para o teto. Um pequeno círculo formara-se em torno do casal, os visitantes perto dele na galeria pareciam encantados por verem o tom sério introduzido por K. na reunião ser perturbado dessa maneira. A primeira reação de K. foi querer correr até lá, e achava também que todos iam querer colocar tudo em ordem ou pelo menos fazer a dupla deixar o salão, mas a primeira fileira de pessoas à frente dele ficou onde estava, ninguém se mexia e ninguém deixava K. passar. Pelo contrário, bloqueavam a passagem, homens mais velhos estenderam os braços na frente dele e uma mão vinda não se sabia de onde, ele não teve tempo de virar para trás, pegou-o pelo colarinho. K., nesse ponto, esquecera-se do casal, parecia-lhe que sua liberdade estava sendo limitada, como se sua detenção fosse levada a sério, e, sem pensar no que fazia, ele pulou fora do pódio. Agora estava cara a cara com a plateia. Teria ele julgado mal aquelas pessoas? Teria ele colocado fé demais nos efeitos de sua fala? Estavam eles o tempo todo de fingimento enquanto ele falava, e agora que ele chegara ao fim e ao que se seguiria, tinham se cansado de fingir? Que rostos eram aqueles em volta dele! Olhinhos escuros piscavam aqui e ali, bochechas murchas como as dos bêbados, as longas barbas finas e duras, se as pegavam nas mãos era mais como se as estivessem tomando garras, não como se apenas segurassem a barba nas mãos. Mas debaixo daquelas barbas – e foi essa a verdadeira descoberta feita por K. – havia distintivos de diversos tamanho e cores brilhando nos colarinhos dos casacos. Até onde podia ver, todos eles usavam um desses distintivos. Todos eles pertenciam ao mesmo grupo, ainda que parecessem divididos à direita e à esquerda, e, quando ele subitamente virou para trás, viu o mesmo distintivo na gola do juiz de instrução, que olhava para ele com muita tranquilidade e com as mãos pousadas no colo.

– Então – comentou K., erguendo os braços como se essa súbita percepção necessitasse de mais espaço –, estão todos vocês trabalhando para essa organização, eu vejo agora que todos são esse mesmo bando de trapaceiros e mentirosos de que eu falava há pouco, todos se apertaram aqui dentro para me ouvir e me bisbilhotar, deram a impressão de se dividirem em facções, um de vocês até me aplaudiu para me testar, e queriam aprender como laçar um homem inocente! Bom, espero que não tenham vindo até aqui para nada, e que tenham apenas se divertido com alguém que desejava que vocês defendessem sua inocência; então, solte-me ou o acerto – gritou K. a um velho trêmulo que se prensara perto demais dele –, ou então que tenham mesmo aprendido alguma coisa. Desejo boa sorte a todos em seus assuntos.

Bruscamente, ele pegou o chapéu de onde estava, na beirada da mesa, e, cercado por um silêncio causado talvez pela completude da surpresa de todos, abriu caminho para a saída. Contudo, o juiz de instrução parecia ter se movido ainda mais rápido que K., e esperava por ele na porta.

– Um momento – pediu.

K. parou onde estava, mas olhando para a porta, com a mão na maçaneta, em vez de olhar para o juiz.

– Eu só queria chamar a sua atenção – explicou o juiz – para algo de que você parece ainda não ter ciência: hoje, o senhor furtou-se das vantagens que uma audiência desse tipo sempre concede a quem está detido.

K. riu para a porta.

– Seu bando de palhaços – disse. – Podem ficar com todas as suas audiências como um presente meu.

Abriu a porta e desceu com pressa a escadaria. Atrás dele, o barulho da asscmblcia crgucu-se conforme ela recobrou a vida mais uma vez e provavelmente começou a discutir esses eventos, como se fizesse um estudo científico deles.

CAPÍTULO TRÊS
No tribunal vazio. O aluno. Os escritórios.

Todo dia da semana seguinte, K. esperou que outra convocação chegasse; não podia acreditar que sua rejeição a mais audiências fora tomada literalmente, e quando a convocação aguardada de fato não tinha chegado no sábado à noite, ele julgou que significava que era esperado, sem que lhe dissessem, que aparecesse no mesmo local no mesmo horário. Então, no domingo, pôs-se mais uma vez na mesma direção, subiu sem hesitar os degraus e cruzou os corredores; algumas das pessoas lembravam-se dele e o cumprimentaram de suas portas, mas ele não mais precisava perguntar a ninguém o caminho e logo chegou à porta certa. Ela foi aberta assim que ele bateu, e, sem prestar atenção à mulher que vira da última vez, que se encontrava parada à porta, estava prestes a passar diretamente para a sala adjacente quando ela lhe disse:

– Hoje não tem sessão.

– Como assim, não tem sessão? – ele perguntou, incapaz de acreditar.

Mas a mulher o persuadiu abrindo a porta da sala seguinte. Estava de fato vazia, e parecia ainda mais sombria do que no domingo anterior. No pódio estava a mesa, exatamente onde estivera antes, com alguns livros em cima.

– Posso dar uma olhada naqueles livros? – K. pediu, não por estar especialmente curioso, mas para que não tivesse vindo à toa.

– Não – explicou a mulher, fechando a porta –, não é permitido. Aqueles livros pertencem ao juiz de instrução.

– Entendo – retrucou K., assentindo –, devem ser livros de leis, e é assim que o tribunal faz as coisas, não apenas julga gente inocente, mas julga sem deixar que saibam o que está acontecendo.

– Creio que tem razão – concordou a mulher, que não tinha entendido exatamente o que ele dissera.

– Melhor eu ir embora, então – disse K.

– Devo dar recado ao juiz de instrução? – perguntou a mulher.

– Você o conhece, então? – quis saber K.

– Claro que conheço – afirmou a mulher. – Meu marido é porteiro do tribunal.

Foi nesse momento, então, que K. reparou que o cômodo, que antes não possuía nada além de um lavatório, fora arranjado como sala de estar. A mulher viu quão surpreso ele estava e disse:

– Sim, podemos morar aqui tranquilamente, só temos que limpar a sala quando o tribunal está em sessão. Há muitas desvantagens no emprego do meu marido.

– Não é tanto a sala que me surpreende – explicou K., fitando-a contrariado –, é você ser casada que me choca.

– Está pensando no que aconteceu na última vez em que o tribunal estava em sessão, quando perturbei o que você dizia? – perguntou a mulher.

– Claro – respondeu K. – É coisa passada, agora, e eu quase me esqueci, mas na hora me deixou furioso. E agora me diz que é uma mulher casada.

– Não foi nada desvantajoso para você ter sua fala interrompida. O modo com que falaram sobre a sua pessoa depois de ir embora foi dos piores.

– Pode até ser – comentou K., virando-se –, mas isso não a desculpa.

– Não conheço ninguém que ficaria magoado comigo – observou a mulher. – Aquele que me envolveu com os braços vem me perseguindo faz bastante tempo. Posso não ser atraente para a maioria das pessoas, mas sou para ele. Não tenho proteção contra ele, até mesmo meu marido já se acostumou; se quiser manter o emprego, tem que tolerar, pois o homem é aluno e muito certamente será bastante poderoso futuramente. Está sempre atrás de mim, só que tinha saído quando você chegou.

– Isso bate com tudo mais – disse K. – Não me surpreende.

– Quer tornar as coisas um pouco melhores aqui? – perguntou lentamente a mulher, observando-o como se dissesse algo que poderia ser perigoso tanto para K. quanto para ela mesma. – Foi nisso que pensei quando o ouvi falar, gostei muito do que disse. Repare, ouvi apenas uma parte, perdi o comecinho e no fim estava deitada no chão com o aluno. É tão horrível, aqui – lamentou-se ela, após uma pausa, e pegou K. pela mão. – Acha mesmo que pode melhorar as coisas por aqui?

K. sorriu e girou um pouquinho a mão dentro das mãos delicadas dela.

– Não é bem função minha melhorar as coisas, como diz – comentou ele –, e, se o dissesse ao juiz de instrução, ele iria rir de você ou a puniria por isso. Eu realmente não teria me envolvido nesse assunto se pudesse ter evitado, e não perderia meu sono preocupando-me com como esse tribunal poderia ser melhorado. Mas porque me disseram que ia ser preso, que estou preso, sou forçado a tomar alguma atitude, e fazê-lo pelo meu próprio bem. Contudo, se eu puder ser de alguma serventia para você durante o processo, claro que ficarei feliz em fazê-lo. E ficarei feliz em fazê-lo não somente por caridade, mas porque você pode ter serventia para mim também.

– Como posso ajudá-lo? – perguntou a mulher.

– Você podia, por exemplo, me mostrar os livros da mesa.
– Sim, certamente – concordou a mulher, e puxou K. atrás de si ao avançar apressada para a mesa.

Os livros eram velhos e bem gastos, a capa de um deles estava quase rasgada ao meio, e mantinha-se unida apenas por uns poucos fios.

– Tudo é tão sujo, aqui – estranhou K., balançando a cabeça, e antes que pudesse pegar um dos livros a mulher limpou um pouco da poeira com o avental.

K. pegou o livro do topo e o abriu, e uma figura indecente apareceu. Um homem e uma mulher sentados nus num sofá; a intenção básica da pessoa que desenhou foi fácil de enxergar, mas a falta de habilidade era tão gritante que tudo o que se podia distinguir eram o homem e a mulher que dominavam a imagem com seus corpos, sentados em postura exageradamente ereta, que criava uma perspectiva falsa e dificultava que se aproximassem. K. não folheou mais esse livro, apenas abriu o seguinte na primeira página, era uma novela chamada *O que Grete sofreu com seu marido, Hans*.

– Então esse é o tipo de livro de leis que estudam por aqui – comentou K. – Esse é o tipo de pessoa que senta aqui e me julga.

– Posso ajudá-lo – falou a mulher. – Gostaria que eu o ajudasse?

– Poderia mesmo fazer isso sem se colocar em perigo? Você disse antes que seu marido é totalmente dependente de seus superiores.

– Ainda assim, quero ajudar – reafirmou a mulher. – Venha aqui, temos que falar disso. Não fale mais do perigo que posso correr, só receio o perigo quando quero recear. Venha aqui.

Ela apontou para o pódio e o convidou a sentar-se no degrau com ela.

— Você tem lindos olhos escuros – comentou ela depois que se sentaram, olhando para o rosto de K. – Dizem que tenho olhos bonitos, mas os seus são muito mais. Foi a primeira coisa que reparei quando veio aqui pela primeira vez. Foi até por isso que entrei aqui, na sala da assembleia, afinal, eu jamais faria isso normalmente, não me permitem muito entrar.

"Então, é disso que se trata", pensou K., "ela está se oferecendo para mim, é tão degenerada quanto tudo mais por aqui, está farta dos oficiais do tribunal, o que é compreensível, suponho, então aborda qualquer estranho e faz elogios sobre os olhos dele". Com isso, K. levantou-se em silêncio, como se tivesse dito o que pensara em voz alta e, portanto, explicado o gesto à mulher.

— Não creio que você possa ter qualquer serventia para mim – disse. – Para poder me ajudar de fato, teria de ter contato com os funcionários superiores. Mas tenho certeza de que conhece somente os funcionários inferiores, e há dezenas deles que zanzam por aqui. Estou certo de que tem bastante intimidade com eles e poderia conseguir muita coisa com eles, não duvido disso, mas o máximo que se poderia conseguir com eles não teria impacto algum no resultado final do julgamento. Você, por outro lado, perderia alguns de seus amigos, como resultado, e eu não gostaria que isso acontecesse. Continue a agir com essas pessoas do mesmo jeito que sempre fez, já que me parece ser algo que não pode ficar sem. Não vejo problema algum em dizer isso já que, retornando o elogio que me fez, também a considero muito atraente, principalmente quando olha para mim assim, triste como está agora, embora não tenha motivo para tanto. Você pertence à gente que tenho de combater, e está bastante confortável entre eles, está até apaixonada por esse aluno, ou se não o ama pelo menos o prefere a seu marido. É fácil dizer, dado o que me disse.

– Não! – ela gritou, permanecendo sentada onde estava, e pegou a mão de K., que não conseguiu recuar rápido o suficiente. – Não pode ir embora agora, não pode ir embora tendo me julgado tão errado assim! Tem mesmo capacidade de ir embora agora? E sou tão desprezível assim que nem vai me fazer o favor de ficar um pouco mais?

– Você não entendeu – explicou K., sentando-se novamente. – Se é tão importante que eu fique, fico contente em aquiescer, tenho muito tempo, vim aqui pensando que haveria um julgamento em andamento. Tudo o que quis com o que disse foi pedir-lhe que não faça nada por minha causa no processo conduzido contra mim. Mas até mesmo isso não é nada com que se preocupar, se considerarmos que não há nada dependendo do resultado desse processo, e que, seja lá qual for o veredicto, vou simplesmente achar graça. E isso supondo que ele chegue a alguma conclusão, do que duvido muito. Acho muito mais provável que os funcionários da corte sejam preguiçosos demais, esquecidos demais, ou até temerosos demais para prosseguir com os procedimentos, e que logo esses serão abandonados, se é que já não foram. É até possível que finjam que estão conduzindo o processo na esperança de serem subornados, embora eu possa dizer desde já que será muito em vão, pois não pago propina a ninguém. Talvez um favor que você possa me fazer seja dizer ao juiz de instrução, ou a qualquer um que goste de espalhar notícias importantes, que eu jamais serei induzido a pagar qualquer tipo de propina por meio de qualquer estratagema da parte deles, e tenho certeza de que eles têm muitos estratagemas à disposição. Não há possibilidade alguma disso, pode dizer-lhes bem abertamente. E digo mais, acredito que eles já o notaram por conta própria, e, mesmo que não tenham, o caso não é tão importante para mim quanto eles pensam. Aqueles senhores apenas pouropariam um pouco do trabalho que teriam, ou pelo menos um desagrado para mim, algo que, contudo, fico feliz de tolerar se for o caso de que cada desagrado a mim infligido for um golpe contra eles. E me certificarei de que cada um seja um golpe contra eles. Você conhece mesmo o juiz?

– Claro que sim – respondeu a mulher –, ele foi o primeiro em quem pensei quando lhe ofereci ajuda. Não sabia que ele era um funcionário inferior, mas, se diz, deve ser verdade. Veja, ainda acredito que o relatório que ele entrega aos superiores dele deve ter alguma influência. E ele escreve tantos relatórios. Você diz que esses funcionários são preguiçosos, mas certamente não são, principalmente o juiz de instrução, ele escreve bastante. Domingo passado, por exemplo, a sessão foi até a noite. Todos tinham partido, mas o juiz de instrução, ele ficara no salão, tive de levar-lhe uma lamparina, tudo o que eu tinha era uma lamparina pequena de cozinha, mas ele ficou muito satisfeito com ela e começou a escrever imediatamente. Enquanto isso, meu marido chegou, ele sempre tira folga aos domingos, trouxemos os móveis de volta e arrumamos a sala e então vieram uns vizinhos, ficamos sentados conversando à luz de velas, enfim, acabamos nos esquecendo do juiz de instrução e fomos para a cama. De repente, no meio da noite, devia ser bem tarde já, eu acordo, e lá está, ao lado da cama, o juiz de instrução protegendo a lamparina com a mão para não deixar cair luz sobre o meu marido, nem era preciso ser assim tão cuidadoso, do jeito que meu marido dorme a luz não o teria acordado. Levei um susto daqueles e quase gritei, mas o juiz foi muito amável, avisou-me que eu tinha de tomar cuidado, sussurrou-me que andara escrevendo todo aquele tempo, e me trouxera a lamparina de volta, e que jamais se esqueceria da minha expressão ali dormindo. O que quero dizer com tudo isso é que o juiz de instrução de fato escreve muitos relatórios, principalmente sobre você, já que o seu interrogatório foi, definitivamente, um dos eventos principais na agenda de domingo. Se ele escreve relatórios por tanto tempo assim, devem ter alguma importância. E, além disso tudo, você pode perceber pelo que aconteceu que o juiz de instrução está atrás de mim, então é bem agora que ele começou a me notar que poderei ter muita influência sobre ele. E tenho mais provas de que sou muito importante para ele. Ontem, ele mandou um aluno vir até mim, um em quem ele realmente confia e com o qual trabalha, enviou-o a mim com um presente: meias de seda. Ele disse que foi porque eu limpo o tribunal, mas foi só fingimento, essa tarefa é basicamente o que devo fazer, é para tanto que pagam meu marido. Belas meias, elas, veja você – ela estendeu a perna, ergueu a saia até o joelho e admirou, ela mesma, a meia. – Belas meias, mas são boas demais para mim, na verdade.

Subitamente, ela interrompeu-se e deitou a mão na de K., como se quisesse acalmá-lo, e sussurrou:

– Calado, Berthold está de olho em nós.

K. ergueu o rosto lentamente. Na entrada do tribunal estava um jovem, era baixo, de pernas não muito retas, e continuamente circulava com o dedo uma barba ruiva curta e fina, com a qual ele esperava obter um visual mais digno. K. observou-o com certa curiosidade, era o primeiro aluno que encontrava dessa disciplina pouco familiar que era a jurisprudência, frente a frente, pelo menos, um homem que muito provavelmente alcançaria um alto cargo um dia. O aluno, por sua vez, parecia não notar K. de todo, ele apenas afastou o dedo da barba o suficiente para acenar à mulher que se aproximasse e foi até a janela, a mulher inclinou-se para K. e sussurrou:

– Não fique chateado comigo, por favor, e não pense mal de mim, tenho de ir até ele, agora, esse homem horrível, olha só as pernas tortas. Mas volto logo em seguida e depois irei com você, se me levar, irei aonde quiser, pode fazer o que quiser comigo, ficarei feliz se puder ficar longe daqui o máximo possível, seria melhor se eu pudesse sumir daqui para sempre.

Ela acariciou a mão de K. um pouco mais, ficou de pé num salto e correu até a janela. Sem nem notar o gesto, K. buscou a mão dela, mas não conseguiu tocá-la. Sentia-se mesmo muito atraído pela mulher, e mesmo depois de pensar bastante não encontrou motivo para não ceder à sedução. Ocorreu-lhe nas ideias muito brevemente que ela queria mesmo pegá-lo numa armadilha para o tribunal, mas essa era uma objeção que ele não tinha dificuldade alguma de dispensar. De que modo poderiam enganá-lo? Não estava livre ainda, tão livre que podia esmagar a assembleia inteira assim que quisesse, pelo menos até onde sabia? Não podia ter toda essa confiança em si mesmo? E a oferta da mulher de ajudá-lo pareceu sincera, e talvez não fosse tão inútil assim. E talvez não haveria vingança melhor contra o juiz de instrução e seus comparsas do que tirar essa mulher dele e tê-la para si. Quem sabe, então, após ter muito trabalho escrevendo relatórios desonestos sobre K., o juiz iria até a cama da mulher tarde da noite e encontrá-la-ia vazia. E estaria vazia porque a mulher pertencia a K., porque aquela mulher à janela, aquele corpo viçoso, macio, quente, dentro de suas roupas de material pesado e grosseiro, pertencia a ele, totalmente a ele e a mais ninguém. Uma vez resolvido em seus pensamentos com relação à mulher nesse sentido, ele começou a achar que a conversa na janela demorava demais, e deu soquinhos no pódio com os nós dos dedos, depois com o punho inteiro. O aluno desviou o olhar da mulher brevemente a fim de olhar para trás, para K., mas não se permitiu ser perturbado, na verdade até se achegou mais para perto dela e a envolveu com os braços. Ela baixou o rosto, como se o escutasse com muita atenção, e, quando fez isso, ele a beijou no pescoço, quase sem interromper-se no que dizia. K. enxergou isso como uma confirmação da tirania que o aluno exerce sobre a mulher e de que ela já reclamara, e levantou-se e ficou andando daqui para lá no salão. Olhando de soslaio para o aluno, pensou em qual seria o jeito mais rápido de se livrar dele, e por isso não foi nada agradável quando o aluno, claramente perturbado pelo ir e vir de K., que evoluíra para um pisotear barulhento, disse-lhe:

— Você não precisa ficar aqui, sabe? Se está ficando impaciente. Podia ter ido embora mais cedo; ninguém teria dado falta. Na verdade, devia ter ido, devia ter saído o mais rapidamente possível assim que cheguei aqui.

Esse comentário poderia ter feito todo um ódio sublevar-se entre os dois, mas K. também tinha em mente que aquele era um futuro oficial da corte falando com um réu desfavorecido, e que poderia muito bem estar orgulhoso de falar desse modo. K. permaneceu bem perto do aluno e disse, sorrindo:

— Tem razão, estou impaciente, mas o modo mais fácil de resolver essa impaciência seria você ir embora. Por outro lado, se veio aqui para estudar, é um aluno, ouvi dizer, ficarei feliz de deixar a sala para você e sair com a mulher. Tenho certeza de que tem ainda muito a estudar antes de se tornar um juiz. É verdade que ainda não tenho familiaridade com sua área de jurisprudência, mas creio que envolva muito mais do que falar grosso, e vejo que você não tem restrição alguma em fazer isso extremamente bem.

– Não deviam permitir que ele zanzasse por aí tão livremente – comentou o aluno, como se quisesse dar à mulher explicação para os insultos de K. –, está errado. Eu disse isso ao juiz de instrução. Ele devia, pelo menos, ser detido no quarto dele entre as audiências. Às vezes é impossível entender o que o juiz acha que está fazendo.

– Está desperdiçando saliva – comentou K., e estendeu a mão para a mulher e disse: – Venha comigo.

– Então é isso – falou o aluno. – Ah, não, você não vai ficar com ela.

E com força que não se esperaria dele, olhou ternamente para ela, ergueu-a num braço e, sustentando o peso nas costas, correu com ela para a porta. Fazendo isso, ele mostrava, inequivocamente, que em certa medida estava com medo de K., mas não obstante ousava provocá-lo ainda mais acariciando e apertando o braço da mulher com a mão livre. K. subiu os poucos degraus na direção do homem, mas quando o alcançou e estava prestes a contê-lo e, se necessário, derrubá-lo, a mulher disse:

– Não adianta, foi o juiz de instrução que mandou buscar-me, não ousarei ir com você, esse monstrinho... – e com isso ela passou a mão por todo o rosto do aluno – esse monstrinho não vai deixar.

– E você não quer se ver livre! – gritou K., deitando a mão no ombro do aluno, que o atacou com os dentes.

– Não! – exclamou a mulher, empurrando K. com as duas mãos. – Não, não faça isso, o que acha que está fazendo? Isso será o meu fim. Solte-o, por favor, solte-o. Ele está somente obedecendo às ordens do juiz, vai me levar até ele.

– Deixe que a leve, então, e não quero mais saber de você – disse K., enraivecido pela decepção e dando no aluno um murro nas costas que o fez perder o equilíbrio brevemente, porém, contente por não ter caído, e imediatamente pulou o mais alto que pôde com seu fardo.

K. seguiu-os lentamente. Ocorreu-lhe que esse era o primeiro contratempo não ambíguo que sofrera nas mãos dessa gente. Claro que não era nada com que se preocupar, ele aceitava o contratempo somente porque estava querendo comprar briga. Se ficasse em casa e seguisse com sua vida normal, seria mil vezes superior que essa gente e poderia tirar qualquer um deles do caminho com um chute. E imaginou a cena mais hilária possível como exemplo disso, caso esse abjeto aluno, essa criança empolada, esse ruivo de pernas tortas, ajoelhasse-se na cama de Elsa, espremendo as mãos, implorando por perdão. K. apreciou tanto imaginar essa cena que resolveu levar o aluno consigo para ver Elsa se algum dia tivesse a oportunidade.

K. estava curioso para ver aonde a mulher seria levada e correu até a porta, o aluno muito provavelmente não a carregaria nos braços pela rua. Acabou que a jornada foi muito mais curta. Do lado oposto do apartamento havia um estreito lance de degraus de madeira, que provavelmente dava no sótão, eles viravam na subida, de modo que não era possível ver onde terminavam. O aluno carregou a mulher degraus acima, e, após o esforço de correr com ela, logo estava grunhindo e andando muito lentamente. A mulher acenou para K. e, erguendo e baixando os ombros, tentou mostrar que era inocente em sua abdução, embora o gesto não representasse grande sinal de pesar. K. olhava para ela sem expressão, como um estranho, não queria demonstrar que estava decepcionado nem que facilmente superaria a decepção.

Os dois desapareceram, mas K. deteve-se na porta. Tinha de aceitar não somente que a mulher o traíra, mas que também mentira para ele quando dissera que estava sendo levada para o juiz de instrução. Ele certamente não estaria sentado, esperando, no sótão. A escada de madeira não explicaria nada para ele, não importava por quanto tempo ele a encarasse. Então K. reparou num pedacinho de papel perto dela, foi até ele e leu, numa letra infantil e sem prática: "Entrada dos Escritórios do Tribunal". Então, os escritórios da corte ficavam ali, no sótão daquele apartamento? Se aquela fosse mesmo a localização, não era de atrair muito respeito, e foi de certo conforto para o acusado perceber quão pouco dinheiro a corte tinha à disposição, se precisava alocar seus funcionários num local em que os inquilinos do prédio, que eram os mais pobres dos pobres, iam jogar o lixo. Por outro lado, era possível que os funcionários tivessem dinheiro suficiente, mas esbanjavam tudo consigo em vez de usar para os propósitos do tribunal. Dada a experiência de K. com eles até então, isso parecia bem provável, contudo, se a corte se permitia tamanho degrado, não somente acabariam humilhando o acusado, mas também lhe dando mais encorajamento do que se simplesmente estivesse em estado de pobreza. K. também entendia agora que a corte tinha vergonha de chamar os acusados até o sótão do prédio para a audiência inicial, e o motivo pelo qual preferia impô-las neles em suas próprias residências. Mas em que posição K. encontrava-se, se comparado ao juiz, sentado no sótão! K., no banco, tinha um grande escritório com antessala, e uma janela enorme pela qual podia assistir à movimentação na praça. Era verdade, entretanto, que não tinha ganhos secundários com propina e fraudes, e não podia mandar que um empregado lhe trouxesse uma mulher à sala pendurada nos ombros. K., contudo, estava bastante disposto a ficar sem esse tipo de coisa, pelo menos nesta vida. K. ainda lia o recado quando um homem subiu as escadas, olhou pela porta aberta para a sala de estar, onde também era possível divisar o tribunal, e finalmente perguntou a K. se ele tinha visto uma mulher por ali.

– Você é o porteiro do tribunal, por acaso? – perguntou K.

– Isso mesmo – respondeu o homem. – Ah, você é o acusado K., reconheço-o agora também. Bom vê-lo aqui.

E ofereceu a mão a K., algo muito distante do que K. esperava. E, quando ele nada disse, o homem acrescentou:

– Não há audiência marcada para hoje, no entanto.

– Eu sei disso – concordou K., avaliando o casaco simples do porteiro, que, além dos botões de sempre, ostentava dois dourados como único símbolo de seu ofício, que pareciam tirados de um casaco velho de militar.

– Eu estava conversando com a sua esposa agora há pouco. Ela não está mais aqui. O aluno a levou para o juiz de instrução.

– Escute – falou o porteiro –, eles vivem levando-a para longe de mim. Hoje é domingo, e não faz parte das minhas funções trabalhar hoje, mas eles me mandam levar alguma mensagem que nem é necessária só para me tirar daqui. O que fazem é que me mandam para algum lugar não muito longe, assim ainda tenho a esperança de voltar a tempo, se me apressar. Então, vou correndo o mais rápido que posso, grito a mensagem pela fresta da porta do escritório ao qual fui enviado, tão sem fôlego que mal é possível me entender, corro de volta para cá, mas o aluno foi mais rápido ainda que eu, bem, ele tem muito menor distância a percorrer, só precisa descer a escada. Se eu não dependesse tanto deles, já teria esmagado o aluno na parede há muito tempo. Aqui mesmo, ao lado da placa. Vivo sonhando em fazer isso. Logo ali, um pouco acima do chão, é aí que eu o esmago na parede, de braços esticados, os dedos bem espaçados, as pernas tortas contorcidas num círculo de sangue espirrado ao redor dele. Só foi sonho até agora, no entanto.

– Tem mais alguma coisa que você faz? – K. perguntou, sorrindo.

– Nada que eu saiba – respondeu o porteiro. – E vai ficar pior ainda; até ultimamente, ele só a tinha levado para si mesmo, agora começou a levá-la para o juiz e tudo mais, como eu sempre disse que ele faria.

– Sua esposa, então, não tem responsabilidade nisso? – perguntou K.

Teve de se forçar a fazer essa pergunta, estando ele, também, com muito ciúme.

– Claro que tem – falou o porteiro. – É mais culpa dela que deles. Foi ela que se achegou a ele. Tudo o que ele faz é correr atrás de qualquer mulher. Tem cinco apartamentos só neste bloco em que ele foi posto para fora após ter dado um jeito de entrar. E a minha esposa é a mulher mais bonita de todo o prédio, mas sou eu o único que proíbem de se defender.

– Se é assim que são as coisas, então não há nada a se fazer – concluiu K.

– Ora, por que não? – perguntou o porteiro. – É um covarde, esse aluno. Se ele quer pôr as mãos na minha esposa, eu só teria que lhe dar uma boa sova e ele jamais ousaria fazer isso novamente. Mas não me é permitido fazer isso, e ninguém mais vai me fazer o favor, já que todos têm medo do poder dele. O único que poderia fazer isso é um homem como você.

– O quê? Como eu poderia fazer isso? – questionou K., atônito.

– Ora, está sob acusação, não está? – indagou o porteiro.

– Sim, mas está aí mais um motivo para que eu tenha medo. Ainda que ele não tenha influência alguma sobre o resultado do processo, deve ter um pouco nos interrogatórios iniciais.

– Sim, exatamente – respondeu o porteiro, como se o ponto de vista de K. estivesse tão correto quanto o dele. – Só que não costumamos ter julgamentos aqui, cujo caso não tem esperança.

– Não tenho a mesma opinião – comentou K. –, embora isso não deva me impedir de lidar com o aluno se me surgir a oportunidade.

– Eu ficaria muito grato a você – disse o porteiro do tribunal, quase formalmente, parecendo não acreditar muito que seu maior desejo pudesse ser realizado.

– Talvez – K. prosseguiu – haja alguns outros funcionários de vocês aqui, talvez todos eles, que mereceriam o mesmo.

– Ah, sim, sim – concordou o porteiro, como se não houvesse dúvida. Depois olhou para K. fielmente, algo que, apesar de toda a sua amabilidade, não fizera até então, e acrescentou: – Estão sempre em rebelião. – Mas a conversa pareceu ter ficado um tanto incômoda para ele, visto que a cortou, dizendo: – Agora tenho que me reportar ao escritório. Gostaria de vir comigo?

– Não há nada para eu fazer lá – comentou K.

– Você podia dar uma olhada. Ninguém vai notá-lo.

– Vale a pena ver? – perguntou K., hesitante, embora sentisse vontade de ir junto.

– Bom – respondeu o porteiro –, achei que tivesse interesse.

– Tudo bem, então – K. comentou, finalmente –, vou com você.

E, mais rápido que o porteiro, subiu a escada.

Na entrada, ele quase caiu, pois atrás da porta havia mais um degrau.

– Eles não têm muito respeito para com o público.
– Não têm respeito nenhum – falou o porteiro. – Veja essa sala de espera.

A sala consistia de um longo corredor, do qual portas grosseiras levavam a diversos departamentos do sótão. Não havia fonte direta de luz, mas o sótão não era totalmente escuro, pois muitos dos departamentos, em vez de paredes sólidas, tinham somente vigas de madeira, que iam até o teto, separando-os do corredor. A luz passava por elas, e era possível também ver funcionários sozinhos, sentados em suas mesas, escrevendo, ou em pé ao lado das vigas, vendo pelas aberturas as pessoas que passavam pelo corredor. Havia poucas pessoas no corredor, provavelmente por ser um domingo. Não eram muito impressionantes. Sentavam-se, igualmente espaçadas, em duas fileiras de longos bancos de madeira alocados ao longo dos dois lados do corredor. Estavam todas vestidas com esmero, embora as expressões em seus rostos, a postura, o estilo da barba e muitos detalhes difíceis de identificar mostravam que elas pertenciam à classe alta da sociedade. Não havia cabideiros para usar, então guardavam seus chapéus debaixo do banco, cada um provavelmente seguindo o exemplo dos demais. Quando os que estavam mais perto da porta viram K. e o porteiro do tribunal, levantaram-se para cumprimentá-los, e, quando os outros viram isso, também acharam que deviam cumprimentá-los, então, conforme os dois passavam, todas as pessoas foram se levantando. Nenhum se erguia totalmente, ficavam de costas curvadas, joelhos dobrados, em pé feito pedintes na rua. K. esperou pelo porteiro, que o seguia logo atrás.

– Devem ser todos bem desanimados – comentou.
– Sim – afirmou o porteiro –, são os acusados, todo mundo que vir aqui é acusado.

– Jura? – perguntou K. – São meus colegas, então. – E virou-se para o mais próximo, um homem alto e magro de cabelos quase grisalhos. – O que está esperando aqui? – K. perguntou, educadamente, mas o homem assustou-se por terem falado com ele de repente, o que deu muito mais pena de ver porque o homem obviamente tinha certa vivência de mundo e em outra situação certamente seria capaz de mostrar sua superioridade e não teria cedido a vantagem que adquirira.

Ali, no entanto, ele não sabia que resposta dar a tão simples pergunta e olhou ao redor, para os outros, como se tivessem alguma obrigação de ajudar, e como se ninguém pudesse esperar que ele respondesse a qualquer coisa sem esse tipo de ajuda. Então, o porteiro do tribunal adiantou-se até ele e, no intuito de acalmar e animar o homem, disse:

– O cavalheiro aqui só quer saber se você está esperando alguém. Pode responder.

A voz do porteiro devia ser familiar para o homem, e teve melhor efeito que a de K.

– Estou... estou esperando... – ele começou, mas logo parou.

Certamente, o homem escolhera esse começo para dar uma resposta precisa à pergunta, mas agora não sabia mais como prosseguir. Alguns dos outros que aguardavam tinham se aproximado e se fechado num círculo ao redor do grupo, e o porteiro disse a eles:

– Saiam daqui, abram passagem.

Eles recuaram um pouco, mas não voltaram ao local onde estavam sentados até então. Entrementes, o homem que K. abordara recobrara-se e até dera uma resposta, sorrindo.

– Um mês atrás, entreguei umas provas para serem analisadas no meu caso, e estou esperando que seja tudo concluído.

– Você parece mesmo estar tendo bastante dificuldade – afirmou K.
– Sim – concordou o homem –, é o meu caso, afinal.
– Nem todo mundo pensa como você – observou K. – Eu fui indiciado também, mas juro pela minha alma que não enviei provas nem fiz nada desse tipo. Acha mesmo que isso é necessário?
– Não sei muito bem, na verdade – comentou o homem, mais uma vez totalmente inseguro de si; obviamente achava que K. estava zombando dele e, portanto, deve ter achado melhor repetir a resposta anterior no intuito de evitar cometer novos equívocos.
Com K. olhando para ele com impaciência, o homem apenas falou:
– No meu caso, enviei essas provas para análise.
– Por acaso não acredita que fui indiciado? – K. perguntou.
– Ah, não, por favor, acredito sim – respondeu o homem, recuando um passo para o lado, mas havia mais ansiedade em sua resposta do que crença.
– Então, não acredita em mim? – K. indagou, e pegou o homem pelo braço, inconscientemente impelido pela atitude humilde do homem, e como se quisesse forçá-lo a acreditar.
Contudo, não queria machucá-lo, por isso o agarrara bem de leve. Não obstante, o homem reclamou como se K. o tivesse agarrado não com dois dedos, mas com pinças quentes. Gritar desse jeito ridículo fez K., finalmente, cansar-se dele, se o homem não acreditasse que ele fora indiciado, melhor ainda; vai ver até achava que K. era juiz. E, antes de sair, apertou-o com mais força, empurrou-o de volta para o banco e saiu andando.
– Esses réus são tão sensíveis, a maioria deles – explicou o porteiro do tribunal.

Quase todos os que aguardavam por ali tinham se reunido em torno do homem que, agora, havia parado de gritar, e pareciam fazer-lhe muitas perguntas específicas sobre o incidente. K. foi abordado por um segurança, identificável principalmente pela espada, de que a bainha parecia ser feita de alumínio. K. ficou muito surpreso com isso e estendeu a mão para tocá-la. O segurança viera por causa da gritaria e perguntou o que estava acontecendo. O porteiro do tribunal disse algumas palavras para tentar acalmar o guarda, mas ele explicou que tinha de ver o caso com os próprios olhos, e foi adiante, andando com passos muito curtos, provavelmente por causa da gota.

K. não se preocupou muito com o segurança e aquelas pessoas, principalmente porque viu que o corredor fazia uma curva, cerca de meio caminho adiante, do lado direito, onde não havia porta para impedi-lo de passar. Ele perguntou ao porteiro se aquele era o caminho certo a seguir e, como o porteiro assentiu, foi para lá que K. seguiu. O porteiro permanecia sempre um ou dois passos atrás de K., o que ele achava irritante, pois num lugar como aquele isso poderia dar a impressão de que ele estava sendo direcionado por alguém que o prendera, então frequentemente esperava o porteiro alcançá-lo, mas ele sempre ficava para trás. No intuito de dar fim nesse desconforto, K. disse, finalmente:

– Agora que já vi como são as coisas por aqui, gostaria de ir embora.

– Você ainda não viu tudo – comentou o porteiro ingenuamente.

– Não quero ver tudo – observou K., que se sentia também muito cansado. – Quero ir embora, onde fica a saída?

— Você não se perdeu, foi? — perguntou o porteiro, admirado. — Siga por aqui até a curva, depois siga reto pelo corredor até chegar à porta.

— Venha comigo — respondeu K. — Mostre-me o caminho. Vou errar, tem tantos caminhos diferentes por aqui.

— Só tem esse caminho — explicou o porteiro, que começara a falar de modo bastante censurador. — Não posso voltar com você, tenho que entregar meu relatório, e já perdi bastante tempo por sua causa.

— Venha comigo! — K. repetiu, agora um pouco mais duro, como se tivesse finalmente pego o porteiro na mentira.

— Não grite desse jeito — sussurrou o porteiro. — Tem um monte de funcionários por aqui. Se não quer voltar sozinho, venha um pouco mais adiante comigo, ou espere aqui até que eu tenha entregado meu relatório, depois ficarei feliz de acompanhá-lo.

— Não, não — negou K. — Não vou esperar, você tem de vir comigo agora.

K. ainda não tinha olhado ao redor no cômodo em que se encontrava, e foi somente quando uma das muitas portas de madeira em volta dele se abriu que ele a notou. Uma jovem, provavelmente convocada pela altura da voz de K., entrou e perguntou:

— O que é que o cavalheiro deseja?

Na escuridão atrás dela havia também um homem aproximando-se. K. olhou para o porteiro. Ele dissera, afinal, que ninguém notaria a presença de K. ali, e agora havia duas pessoas vindo, bastaria umas poucas e logo todos do escritório tomariam ciência dele e viriam pedir explicação para o porquê de estar ali. A única coisa compreensível e aceitável a dizer era que ele fora acusado de algo e queria saber a data da audiência seguinte, mas essa era uma explicação que ele não queria dar, principalmente por não ser a verdade – viera apenas por curiosidade. Ou, então, uma explicação ainda mais inútil, ele poderia dizer que queria certificar-se de que a corte era tão repugnante por dentro quanto era por fora. E parecia mesmo que ele tinha razão nessa suposição, e não queria adentrar mais ainda, sentia-se incomodado o bastante com o que já tinha visto, não estava no estado de espírito ideal para encarar um alto funcionário como o que poderia aparecer de detrás de qualquer daquelas portas, e queria ir embora, fosse com o porteiro do tribunal, ou, se necessário, sozinho.

Mas ele devia ter ficado muito esquisito, parado ali em silêncio. A jovem e o porteiro de fato o observavam como se achassem que ele sofreria alguma grande transformação a qualquer segundo, a qual eles não iam querer perder. E na porta estava o homem que K. notara nos fundos anteriormente, que se apoiava com firmeza na viga acima da porta baixa, girando delicadamente a ponta do pé, como se estivesse impaciente ao assistir à cena. Contudo, a jovem foi a primeira a reconhecer que o comportamento de K. era causado por ele não se sentir muito bem, então trouxe uma cadeira e perguntou:

– Gostaria de sentar-se?

K. sentou-se imediatamente e, no intuito de acomodar-se melhor, apoiou os cotovelos nos braços da cadeira.

– Está um pouco tonto, não? – perguntou a jovem.

O rosto dela estava bem perto, na frente dele, e tinha a expressão severa que muitas jovens têm mesmo quando estão na flor da idade.

– Não há nada com que se preocupar – tranquilizou ela. – Não é nada incomum aqui, quase todo mundo tem um ataque desses quando vem aqui pela primeira vez. Esta é a sua primeira vez, não? Sim, não é nada incomum. O sol arde no telhado, e a madeira quente torna o ar tão espesso e pesado. Faz deste local muito inadequado para escritórios, apesar de quaisquer vantagens que possa oferecer. Mas o ar é quase impossível de respirar em dias em que há muito trabalho, e isso é quase todo dia. E quando pensamos que tem muita roupa posta para secar aqui também, e não podemos impedir os moradores de fazer isso, não é de se surpreender que você tenha começado a passar mal. Mas a pessoa se acostuma com o ar no final. Quando vier aqui pela segunda ou terceira vez, mal notará quão opressivo é o ar. Está se sentindo melhor agora?

K. não respondeu, estava envergonhado demais de ter sido posto à mercê daquelas pessoas por uma fraqueza súbita, e descobrir o motivo de sentir-se mal não o fez sentir-se melhor, mas um pouco pior. A jovem o notou logo de cara, e, para tornar o ar mais fresco para K., pegou um puxador de janela que pendia encostado na parede e abriu uma pequena escotilha diretamente acima da cabeça de K., que dava para céu aberto. Mas caiu tanta fuligem que a menina teve de fechar imediatamente a escotilha e limpar a fuligem das mãos de K. com um lenço, pois o próprio estava cansado demais para se limpar sozinho. Ele bem queria apenas ficar sentado quieto onde estava até ter força suficiente para partir, e, quanto menos rebuliço as pessoas fizessem em torno dele, mais breve isso aconteceria. Mas então a menina explicou:

– Você não pode ficar aqui, estamos bem na passagem...

K. olhou para ela como se perguntasse de quem estavam impedindo a passagem.

– Se quiser, posso levá-lo à enfermaria. – E, virando-se para o homem à porta, pediu: – Pode me ajudar, por favor?

O homem veio imediatamente até eles, mas K. não queria ir à enfermaria, era justamente isso que queria evitar, ser levado de lugar em lugar, quanto mais ele entrava, mais difícil tudo ficava. Então ele respondeu:

– Já consigo andar.

E levantou-se, trêmulo por ter se acostumado a ficar sentado tão confortavelmente. Mas não conseguiu ficar em pé.

– Não consigo – disse, sacudindo a cabeça, e tornou a sentar-se, suspirando.

Lembrou-se do porteiro, que, apesar de tudo, seria quem poderia tê-lo guiado para fora dali, mas parecia ter sumido fazia tempo. K. olhou ao redor, entre o homem e a jovem em frente a ele, mas não conseguiu achar o porteiro.

– Acho – comentou o homem, vestido com muita elegância, cuja aparência era ainda mais impressionante por causa do colete cinza que tinha duas pontas compridas e bem cortadas – que o cavalheiro está passando mal por causa da atmosfera, então o melhor a fazer, o que ele ia preferir, não seria levá-lo à enfermaria, mas para fora dos escritórios.

– Isso mesmo – K. exclamou, com tanta alegria que quase interrompeu o que dizia o homem. – Tenho certeza de que isso vai fazer com que eu me sinta melhor de imediato, não estou tão fraco assim, só preciso de apoio debaixo dos braços, não causarei muito trabalho, não é tão longe, afinal, leve-me à porta e eu me sentarei na escada um pouco e logo estarei melhor, já que nunca sofro ataques desse tipo, estou até surpreso comigo. Também trabalho em escritório e estou bem acostumado com essa atmosfera, mas aqui parece estar pesado demais, vocês mesmos o disseram. Então, por favor, me ajudem um pouco no caminho, estou meio tonto, entende? Vou ficar enjoado se me levantar sozinho.

E, com isso, ele ergueu os ombros a fim de facilitar para os outros o pegarem pelos braços. O homem, contudo, não seguiu a sugestão; apenas ficou ali, de mãos nos bolsos da calça, e gargalhou.

— Aí, viu? — perguntou à jovem. — Eu tinha razão. O cavalheiro passou mal só aqui, não em geral.

A jovem também sorriu, mas deu um toquinho no braço do homem com as pontas dos dedos, como se ele tivesse se permitido rir em demasia de K.

— Então, que acha? — indagou o homem, ainda rindo. — Eu queria muito guiar o cavalheiro para fora daqui.

— Tudo bem, então — respondeu a jovem, inclinando por um instante a cabeça charmosa. — Não dê bola para ele, rindo — disse ela a K., que estava mais uma vez chateado e olhava para a frente, calado, como se não precisasse de mais explicações. — Esse cavalheiro, posso apresentá-lo? — (o homem deu a permissão com um aceno). — Então, esse cavalheiro tem a função de dar informações. Ele dá todas as informações de que precisam as pessoas que estão esperando, já que o tribunal e os escritórios não são muito famosos entre o público, fazem-lhe muitas perguntas. Ele tem resposta para tudo, pode testar se der vontade. Mas não é sua única distinção, sua outra distinção é a elegância no vestir. Nós — refiro-me a todos nós que trabalhamos aqui nos escritórios — decidimos que o informante teria de estar sempre vestido com elegância, visto que frequentemente tem de lidar com os litigantes, e é a primeira pessoa que eles encontram, então precisam oferecer uma primeira impressão de dignidade. Os demais, creio, como você pode ver só de olhar para mim, vestem-se muito mal, de modo antiquado; e não faz muito sentido gastar muito com roupas, de qualquer modo, já que quase nunca saímos dos escritórios, até dormimos aqui. Mas, como eu disse, decidimos que o informante teria de usar roupas boas. Como a gerência é bastante peculiar a esse respeito, e comprariam tudo para nós, fizemos uma vaquinha, alguns dos litigantes também contribuíram, e compramos para ele essas belas roupas e outras também. Então, ficaria tudo pronto para ele dar uma boa impressão, mas ele estraga tudo rindo e assustando as pessoas.

– É assim mesmo – explicou o homem, zombando da jovem –, mas não entendo por que você está explicando todos os nossos detalhes íntimos para o cavalheiro, pois tenho certeza de que ele não está nem um pouco interessado. Olhe só para ele aí, sentado, claro que está ocupado com os próprios assuntos.

K. só não estava com vontade de contradizer o homem. A intenção da jovem podia ter sido boa, talvez ela tivesse instruções para distraí-lo ou dar-lhe a chance de se recuperar, mas a tentativa não funcionara.

– Eu tinha de explicar a ele por que você estava rindo – comentou ela. – Achei ofensivo.

– Creio que ele perdoaria insultos ainda piores se eu finalmente o levasse para fora.

K. não disse nada, nem ergueu o rosto, tolerava os dois negociando acima dele como um objeto, era isso o que lhe servia melhor. Mas, subitamente, ele sentiu a mão do informante num braço e a mão da jovem no outro.

– Vamos levantar, então, fracote – ordenou o informante.

– Muito obrigado aos dois – agradeceu K., agradavelmente surpreso, erguendo-se lentamente e guiando pessoalmente aquelas mãos desconhecidas até os locais onde mais precisava de suporte.

Quando se aproximavam do corredor, a menina disse baixinho no ouvido de K.:

– Pode parecer que eu ache muito importante mostrar o informante de modo positivo, mas você não devia duvidar do que eu disse, só quero falar a verdade. Ele não é insensível. Não é bem o serviço dele ajudar litigantes a sair quando não se sentem bem, mas está ajudando mesmo assim, como pode ver. Creio que nenhum de nós é insensível, talvez todos queiramos ser solícitos, mas, trabalhando nos escritórios da corte, fica fácil para nós dar a impressão de que somos insensíveis e não queremos ajudar ninguém. Fico chateada com isso.

– Gostaria de sentar-se aqui um pouco? – perguntou o informante, quando estavam já no corredor, bem em frente do réu com quem K. falara anteriormente.

K. quase sentiu vergonha de ser visto por ele, antes tinha agido de modo tão altivo na frente do homem e agora tinha de ser carregado por duas pessoas, seu chapéu estava na mão do informante, que o equilibrava nos dedos esticados, estava com o cabelo todo desgrenhado e grudado com suor na testa. Mas o réu não pareceu notar nada do que acontecia e só ficou ali parado humildemente, como se quisesse pedir desculpas ao informante por estar ali. O informante nem deu conta do homem.

– Eu sei – comentou ele – que meu caso não pode ser definido hoje, não ainda, mas eu vim mesmo assim, pensei em esperar aqui mesmo, hoje é domingo, estou com bastante tempo, e não estou perturbando ninguém aqui.

– Não tem por que se desculpar tanto – observou o informante. – É muito louvável da sua parte ser tão atencioso. Você está ocupando espaço aqui sem necessidade, mas contanto que não fique no meu caminho não farei nada para impedir que acompanhe o seguimento do seu processo o mais perto que quiser. Quando a gente vê tantas pessoas que negligenciam vergonhosamente seus casos, aprendemos a ter paciência com pessoas como você. Sente-se.

— Ele é muito bom com os litigantes — sussurrou a jovem.

K. fez que concordava, e começou a andar de novo, quando o informante repetiu:

— Gostaria de sentar-se aqui um pouco?

— Não — respondeu K. —, não quero descansar.

Isso ele dissera no tom mais categórico que pôde, porém sentar-se teria lhe feito muito bem. Era como se sofresse de enjoo de mar. Sentia-se como se estivesse num barco em mar alto, como se a água atingisse o casco de madeira, um ronco vindo das profundezas do corredor como a corrente se debatesse contra ele, como se o corredor balançasse e os litigantes de cada lado subissem e descessem. Isso tornava a tranquilidade da jovem e do homem que o guiava ainda mais incompreensível. Estava à mercê dos dois, se o soltassem, ele cairia feito madeira. Os olhinhos deles miravam daqui a ali, K. podia sentir a constância dos passos deles, mas não podia fazer o mesmo, visto que a cada novo passo ele ia sendo virtualmente carregado. Por fim, notou que falavam com ele, mas não os compreendia, tudo o que ouvia era um barulho que enchia todo o espaço e pelo qual parecia haver uma nota alta ressoando sem parar, como uma sirene.

— Mais alto — ele sussurrou, de cabeça baixa, envergonhado por ter de pedir-lhes que falassem mais alto quando sabia que haviam falado alto o suficiente, ainda que, para ele, fosse incompreensível.

Por fim, uma lufada de ar fresco soprou no rosto dele, como se uma fenda fora aberta na parede em frente, e ao lado dele alguém falou:

– Primeiro ele diz que quer ir, e depois você pode dizer-lhe cem vezes que essa é a saída, e ele não se mexe.

K. descobriu que estava parado em frente à saída, e que a jovem tinha aberto a porta. Pareceu-lhe que toda a sua força lhe retornara de uma só vez, e para ter uma prova da liberdade, pisou no primeiro degrau, deixando para trás seus companheiros, que lhe fizeram uma reverência.

– Muito obrigado – repetiu, apertou-lhes as mãos uma vez mais e não soltou enquanto não pensou ter visto que eles não suportavam o ar muito mais fresco da escadaria após tanto tempo de costume com o ar dos escritórios.

Eles mal puderam responder, e a jovem podia até ter caído se K. não tivesse fechado a porta com extrema rapidez. K. parou ali por um instante, penteou o cabelo com a ajuda de um espelho de bolso, pegou o chapéu do degrau seguinte – o informante devia tê-lo largado ali – e desceu correndo a escada com tanto frescor e passos tão largos que o contraste com seu estado anterior quase o alarmou. Sua saúde, em geral vigorosa, não o preparara para surpresas como essa. Vai ver seu corpo queria rebelar-se e causar-lhe um novo processo, visto que ele lidava com o anterior com tão pouca dedicação. Ele não rejeitou a ideia de ver um médico na próxima vez que tivesse chance, mas, independentemente do que fizesse – e isso era algo que ele podia aconselhar a si mesmo sem mais pensar –, queria passar manhãs de domingo, no futuro, melhores do que a que acabara de passar.

CAPÍTULO QUATRO
O amigo da Srta. Bürstner

Por certo tempo após o ocorrido foi impossível para K. trocar ao menos algumas poucas palavras com a Srta. Bürstner. Ele tentava alcançá-la de muitas e diversas maneiras, mas ela sempre dava um jeito de evitá-lo. Ele retornava direto do escritório, ficava no quarto dela com a luz acesa e sentava-se no sofá, com mais nada para distraí-lo, e permanecia de olho no corredor vazio. Se a empregada passava e fechava a porta do quarto aparentemente vazio, ele se levantava após certo tempo e tornava a abri-lo. Acordava uma hora mais cedo de manhã para quem sabe encontrar a Srta. Bürstner sozinha ao sair para o trabalho. Mas nenhum desses esforços trouxe qualquer sucesso. Então, ele escreveu-lhe uma carta, para o escritório e para o apartamento, tentando mais uma vez justificar seu comportamento, oferecendo-se para fazer quaisquer compensações que pudesse, prometeu não ultrapassar qualquer limite que ela lhe impusesse e implorou que tivesse ao menos a chance de falar com ela algum dia, principalmente por ser incapaz de fazer qualquer coisa com relação à Sra. Grubach sem antes falar com a Srta. Bürstner; ele finalmente informou-lhe que no domingo seguinte permaneceria em seu quarto o dia todo esperando por um sinal dela, mostrando que havia alguma esperança de que sua demanda fosse atendida, ou que pelo menos ela lhe explicaria por que não podia atendê-lo, mesmo tendo ele prometido observar quaisquer estipulações que ela viesse a fazer. As cartas não foram devolvidas, mas também não houve resposta. Contudo, no domingo seguinte, surgiu um sinal que foi claro o suficiente. Era cedo ainda quando K. notou, pelo buraco da fechadura, que havia um nível incomum de atividade no corredor que logo se abateu. Uma professora de francês, embora fosse alemã e se chamasse Montag, moça pálida e febril e um tanto coxa de uma perna, que anteriormente ocupara um quarto para si, estava de mudança para o quarto da Srta. Bürstner. Ela pôde ser vista passando pelo corredor por muitas horas, havia sempre alguma peça de roupa ou cobertor ou livro que ela esquecera e tinha de ser buscado especificamente e trazido para o novo lar.

Quando a Sra. Grubach levou a K. o café da manhã – desde o dia em que o deixara contrariado, não confiava mais na empregada para a mais simples das tarefas –, ele não teve escolha a não ser falar com ela, pela primeira vez em cinco dias.

– Por que tem tanto barulho no corredor hoje? – perguntou, enquanto ela lhe servia café. – Não dá para fazer algo a respeito? Tem que fazer a limpeza no domingo?

K. não olhava para a Sra. Grubach, mas não obstante viu que ela pareceu sentir certo alívio ao dar uma suspirada. Até mesmo perguntas secas como essa da parte do Sr. K. ela entendia como perdão, ou o começo do perdoar.

– Não estamos limpando nada, Sr. K. – respondeu ela. – É só a Srta. Montag que está se mudando para o apartamento da Srta. Bürstner e trazendo as coisas dela.

A senhora não disse mais nada, mas aguardou para ver como K. assimilaria o dado e se lhe permitiria continuar falando. Contudo, K. a manteve sob incerteza, pegou a colher e mexeu o café, pensativo, permanecendo em silêncio. Depois olhou para ela e disse:

– E quanto à suspeita de que a senhora tinha antes com relação à Srta. Bürstner, abandonou-as?

– Sr. K. – respondeu a Sra. Grubach, que vinha esperando por essa mesma pergunta, juntando as mãos e estendo-as para ele. – Eu apenas fiz um comentário banal e o senhor levou-o tão a sério. Não tinha a menor intenção de ofender ninguém, nem o senhor nem ninguém. O senhor me conhece faz tanto tempo, Sr. K., tenho certeza de que sabe disso. O senhor não sabe quanto vim sofrendo pelos últimos dias! Eu, contar mentiras sobre os meus inquilinos! E o senhor, Sr. K., acreditou! E disse que devia desistir do aluguel! Desistir!

Nessa última exclamação, a Sra. Grubach já estava engolindo o choro, ela levou o avental ao rosto e choramingou ruidosamente.

– Ah, não chore, Sra. Grubach – pediu K., olhando pela janela, pensando apenas na Srta. Bürstner e em como recebia uma garota desconhecida em seu quarto. – Não chore – solicitou mais uma vez, voltando-se para seu quarto, onde a Sra. Grubach continuava a chorar.

– Não quis ofender ninguém com o que disse. Foi, simplesmente, um mal-entendido entre nós. Pode acontecer até mesmo entre amigos de longa data, às vezes.

A Sra. Grubach puxou o avental até debaixo dos olhos para ver se K. realmente tentava uma reconciliação.

– Bom, sim, é assim mesmo – explicou K., e, já que o comportamento da Sra. Grubach indicava que o capitão não lhe dissera nada, ele ousou acrescentar: – Você acha mesmo, então, que eu ia querer virar seu inimigo por causa de uma moça que mal conheço?

– Sim, o senhor tem razão, Sr. K. – disse a Sra. Grubach, e então, para sua desgraça, assim que se sentiu um pouco mais livre para falar, acrescentou algo um tanto inadequado. – Eu fico me perguntando por que é que o Sr. K. ficou tão interessado na Srta. Bürstner. Por que briga comigo por causa dela mesmo sabendo que basta uma palavra atravessada sua para mim, que não consigo dormir à noite? E eu não disse nada sobre a Srta. Bürstner que não tenha visto com meus próprios olhos.

K. não disse nada em resposta, devia ter corrido com ela para fora do quarto assim que abrira a boca, mas não quis fazer isso. Contentou-se em apenas tomar seu café e deixar a Sra. Grubach sentir que era inútil ali. Lá fora, os passos arrastados da Srta. Montag podiam ainda ser ouvidos conforme ela ia de um lado do corredor ao outro.

– Ouviu isso? – K. perguntou, apontando para a porta.

– Sim – respondeu a Sra. Grubach, com um suspiro. – Eu queria ajudá-la, e queria que a empregada também ajudasse, mas a moça é teimosa, quer mover tudo sozinha. Fico pensando na Srta. Bürstner. É sempre um fardo para mim ter a Srta. Montag como inquilina, mas a Srta. Bürstner vai aceitá-la no quarto com ela.

– Não há nada com que se preocupar – explicou K., esmagando os restos de um grumo de açúcar na xícara. – Ela lhe causa trabalho?

– Não – respondeu a Sra. Grubach. – Na verdade, é muito bom tê-la ali, deixa outro quarto livre para mim e posso deixar meu sobrinho, o capitão, ocupá-lo. Comecei a recear que ele poderia perturbar o senhor quando tive de deixá-lo na sala de estar, ao seu lado, nos últimos dias. Ele não é lá muito ponderado.

– Mas que ideia! – exclamou K., levantando-se. – Não tem nada disso! Pelo visto você pensa assim porque não suporto esse ir e vir da Srta. Montag, que me incomodo facilmente, e lá vai ela de novo.

A Sra. Grubach parecia sentir-se incapaz.

– Devo dizer-lhe que deixe para trazer o resto das coisas dela mais tarde, Sr. K.? Se é isso que deseja, farei imediatamente.

– Mas ela tem de se mudar para o quarto da Srta. Bürstner! – afirmou K.

– Sim – concordou a Sra. Grubach, sem entender muito bem o que K. dissera.

– Então, ela tem de levar as coisas dela para lá.

A Sra. Grubach apenas assentiu com a cabeça. K. irritou-se ainda mais com essa incapacidade tola que, vista de fora, podia ser entendida como um tipo de desafio da parte da proprietária. Ele pôs-se a andar daqui para lá no quarto, entre a janela e a porta, privando, assim, a Sra. Grubach da chance de partir, o que ela, do contrário, teria feito.

Assim que K. achegou-se mais uma vez à porta, alguém bateu. Era a empregada, para dizer que a Srta. Montag gostaria de conversar com o Sr. K., e, portanto, demandava que ele fosse até a sala de jantar, onde ela o aguardava. K. ouviu a empregada com atenção, depois olhou para uma chocada Sra. Grubach com um olhar quase desdenhoso. Seu olhar parecia dizer que K. estivera esperando esse convite da parte da Srta. Montag fazia muito tempo, e que era uma confirmação do sofrimento que lhe fizeram suportar naquela manhã de domingo, causado pelos inquilinos da Sra. Grubach. Ele mandou de volta a empregada com a resposta de que estava a caminho, depois foi ao armário trocar de casaco e, em resposta ao resmungar gentil da Sra. Grubach sobre o incômodo que a Srta. Montag causava, apenas pediu a ela que limpasse a louça do café da manhã.

– Mas você mal tocou na comida – comentou a Sra. Grubach.

– Ah, leve tudo embora! – gritou K.

Parecia-lhe que a Srta. Montag estava envolvida em tudo e sentiu repugnância.

Ao passar pelo corredor, viu a porta fechada do quarto da Srta. Bürstner. Contudo, não fora convidado para esse quarto, mas para a sala de jantar, da qual ele abriu a porta sem bater.

A sala era comprida, mas estreita, e tinha apenas uma janela. Havia espaço apenas para colocar duas cômodas num ângulo num canto, ao lado da porta, e o restante da sala era inteiramente tomado pela longa mesa de jantar que começava na porta e estendia-se até a grande janela, que ficava quase inacessível. A mesa já estava posta para um grande número de pessoas, pois no domingo quase todos os inquilinos almoçavam ali ao meio-dia.

Quando K. entrou, a Srta. Montag veio para ele, da janela, por um dos lados da mesa. Cumprimentaram-se em silêncio. Então a moça, a cabeça estranhamente erguida, como sempre, disse:

– Não sei muito bem se você me conhece.

K. olhou-a com estranheza.

– Claro que sim – comentou. – Você mora aqui na Sra. Grubach faz bastante tempo.

– Mas tenho a impressão de que não presta muita atenção ao que acontece na hospedaria – retrucou a Srta. Montag.

– Não – discordou K.

– Gostaria de sentar-se? – convidou ela.

Em silêncio, os dois puxaram cadeiras da ponta mais distante da mesa e sentaram-se de frente um para o outro. Porém, a Srta. Montag levantou-se novamente, pois deixara a bolsa no parapeito da janela e foi buscá-la; teve de cruzar todo o comprimento da sala. Quando retornou, gingando suavemente a bolsa, disse:

— Só queria falar algumas coisas com você em nome da minha amiga. Ela teria vindo pessoalmente, mas não se sente muito bem hoje. Espero que lhe perdoe e me escute. Não há nada, afinal, que ela teria dito e eu não. Pelo contrário, na verdade, acho que posso falar ainda mais do que ela, porque sou relativamente imparcial. Você não concorda?

— O que tem a dizer? — K. perguntou, cansado de ver que a Srta. Montag continuamente mirava os lábios dele; desse modo, controlava o que ele ia dizer antes mesmo que o dissesse. — A Srta. Bürstner, obviamente, recusa-se a me conceder o encontro pelo qual pedi.

— É isso mesmo — concordou a Srta. Montag —, ou melhor, não é bem assim, o modo com que fala é extremamente severo. Em geral, encontros não são concedidos, nem o oposto. Mas pode ser que os encontros sejam considerados desnecessários, e é o caso aqui. Agora, depois do seu comentário, posso falar abertamente. Você pediu à minha amiga, verbalmente ou por escrito, a chance de falar com ela. Minha amiga está ciente do motivo pelo qual pediu para vê-la, ou pelo menos suponho que esteja, e então, não faço ideia do porquê, ela acredita que não haveria benefício para ninguém caso esse encontro de fato ocorresse. Ademais, foi somente ontem, e muito brevemente, que ela me deixou claro que tal encontro também não teria benefício para você, ela acha que só pode ter sido casualmente que tal ideia ocorreu-lhe e que, mesmo sem quaisquer explicações da parte dela, você muito em breve perceberá por si mesmo, se é que já não percebeu, a futilidade da ideia. Minha resposta para isso é que, embora possa estar certo, eu considero vantajoso, para que a questão fique perfeitamente esclarecida, dar-lhe uma resposta explícita. Eu me ofereci para cuidar dessa tarefa, e após alguma hesitação minha amiga aceitou. Espero, contudo, também ter agido pelos seus interesses, visto que, mesmo a menor das incertezas no menos significativo dos problemas, será sempre causa de sofrimento e se, como neste caso, puder ser removido sem esforço substancioso, melhor que seja feito sem demora.

– Eu agradeço – disse K. assim que a Srta. Montag concluiu.

Levantou-se, olhou para ela, depois por sobre a mesa, depois janela afora – lá estava a casa oposta, banhada de sol – e foi até a porta. A Srta. Montag o seguiu por alguns passos, como se não confiasse nele. À porta, contudo, ambos tiveram de recuar, pois ela se abriu e entrou o capitão Lanz. Era a primeira vez que K. o via assim de perto. Era um homem grande de uns quarenta anos, com rosto bronzeado e carnudo. Ele fez uma reverência curta, pretendida também para K., e foi até a Srta. Montag, beijando-lhe a mão respeitosamente. Era muito elegante em seu conduzir. A cortesia que demonstrou para com a Srta. Montag fez um contraste notável com o modo com que ela fora tratada por K. Não obstante, a Srta. Montag não parecia muito atravessada com K., pois até pareceu-lhe que ela quis apresentá-lo ao capitão. K., contudo, não queria ser apresentado, não seria capaz de demonstrar qualquer tipo de amabilidade à Srta. Montag ou ao capitão, o beijo na mão os tinha, para K., ligado num grupo que o manteria distante da Srta. Bürstner enquanto, ao mesmo tempo, parecia ser totalmente inofensivo e altruísta. K. pensava, no entanto, ter visto mais do que isso, pensava também ter visto a Srta. Montag escolher um jeito de conduzir as coisas que era bom, mas ambíguo. Exagerava a importância da relação entre K. e a Srta. Bürstner, e acima de tudo exagerava a importância de pedir para falar com ela, e tentava ao mesmo tempo fazer parecer que era K. quem exagerava tudo. Pois ficaria decepcionada; K. não queria exagerar nada, estava ciente de que a Srta. Bürstner era uma simples datilógrafa que não lhe ofereceria resistência por muito tempo. Sendo assim, ele deliberadamente não levava em conta o que a Sra. Grubach lhe dissera sobre a Srta. Bürstner. Todas essas coisas passavam pela cabeça dele quando ele deixou a sala sem nem uma palavra de cortesia. Queria ir direto para o quarto, mas um risinho da Srta. Montag, que ele ouviu vindo da sala de jantar, levou-lhe a ideia de que poderia preparar uma surpresa para os dois, o capitão e a Srta. Montag. Olhou ao redor e prestou atenção para ver se ouvia alguma perturbação nos quartos ao redor, estava tudo quieto, a única coisa que se ouvia era a conversa na sala de jantar e a voz da Sra. Grubach no corredor que dava para a cozinha. O momento parecia oportuno. K. foi até o quarto da Srta. Bürstner e bateu gentilmente. Não ouviu nada, então bateu de novo, mas continuou sem receber resposta. Estava dormindo? Ou estava passando mal mesmo? Ou estava apenas fingindo, por supor que só poderia ser K. batendo assim tão gentilmente? K. supôs que ela fingia e bateu mais forte, finalmente, não havendo nenhum retorno, ele abriu cuidadosamente a porta, sabendo que fazia algo não somente inadequado, mas também sem sentido. No quarto, não havia ninguém. Mais que isso: quase não lembrava o quarto que K. vira antes. Contra a parede, havia duas camas, uma ao lado da outra, havia roupas empilhadas sobre três cadeiras perto da porta, e um armário aberto. A Srta. Bürstner devia ter saído enquanto a Srta. Montag falava com ele na sala de jantar. K. não ficou muito incomodado com isso, quase não esperava encontrar a Srta.

Bürstner tão facilmente e fizera essa tentativa basicamente para contrariar a Srta. Montag. Mas foi tudo ainda mais embaraçoso para ele quando, ao fechar a porta, ele viu a Srta. Montag e o capitão conversando pela porta aberta da sala de jantar. Deviam estar ali desde quando K. abrira a porta, evitavam demonstrar que o observavam, mas batiam papo e acompanhavam os movimentos dele com olhares, os olhares distraídos para os lados que se faz durante uma conversa. Mas esses olhares pareceram pesados a K., e ele correu junto à parede para voltar para o quarto.

CAPÍTULO CINCO
O carrasco

Certa noite, alguns dias depois, K. passava por um dos corredores que separava a sala dele da escadaria principal – era quase o último a ir para casa nessa noite, permaneciam somente uns dois funcionários sob a luz de uma única lâmpada no departamento de despachos –, quando ouviu um suspiro atrás de uma porta que ele mesmo nunca abrira, mas que sempre achara que dava para uma sala de bagunça. Admirado, ele parou e prestou atenção para ver se não se enganava. Por um tempo, fez-se silêncio, mas então vieram mais suspiros. Sua primeira reação foi querer chamar um dos empregados, seria bom ter uma testemunha presente, mas então ele foi tomado por uma curiosidade incontrolável, que o fez simplesmente abrir a porta. Era, como ele supusera, uma sala de bagunça. Formulários velhos, inúteis, garrafinhas de tina vazias jaziam espalhados atrás da entrada. Mas na sala em forma de armário havia três homens, agachados sob o teto baixo. Uma vela posta numa estante lhes conferia luz.

– O que estão fazendo aqui? – K. perguntou baixinho, mas contrariado, e sem pensar.

Um dos homens estava claramente no comando, e atraía atenção por estar vestido numa espécie de costume de couro escuro que deixava o pescoço e o peito e os braços expostos. Ele não respondeu. Mas os outros dois reconheceram K.

– Sr. K.! Vamos apanhar, porque você fez uma reclamação sobre nós para o juiz de instrução.

Foi, então, que K. finalmente reparou que eram os dois policiais, Franz e Willem, e o terceiro homem tinha um bastão na mão com que bateria neles.

– Bom – disse K., olhando para eles –, não fiz reclamação alguma, só contei o que aconteceu na minha casa. E seu comportamento não foi inteiramente inquestionável, afinal.

– Sr. K. – comentou Willem, enquanto Franz tentava claramente se abrigar atrás dele para proteger-se do terceiro homem –, se soubesse quanto somos mal pagos, não pensaria tão mal de nós. Tenho família para alimentar, e o Franz aqui queria se casar, você tem que conseguir mais dinheiro onde puder, não tem como conseguir só com trabalho duro, não importa quanto se esforce. Eu só fui tentado pelas suas roupas finas, os policiais não podem fazer esse tipo de coisa, claro que não, e não foi certo da nossa parte, mas é tradição que as roupas vão para os policiais, sempre foi assim, pode acreditar; é compreensível também, não, como coisas desse tipo podem parecer para quem tem a má sorte de ser preso? Mas, se ele começa a falar abertamente sobre, a punição tem que ser cumprida.

– Não sei de nada disso que está me dizendo e não fiz pedido nenhum para que vocês fossem punidos, eu simplesmente agi por princípio.

– Franz – começou Willem, dirigindo-se ao outro policial –, eu não lhe falei que o cavalheiro não disse que queria que fôssemos punidos? Agora você ouviu por si mesmo, ele nem sabia que teríamos de ser punidos.

– Não deixe que o persuadam falando assim – comentou a K. o terceiro homem. – Essa punição é justa e inevitável.

– Não dê ouvidos a ele – retrucou Willem, interrompendo-se apenas para levar a mão à boca rapidamente quando recebeu nela um golpe do bastão –, só estamos sendo punidos porque você fez a reclamação sobre nós. Nada teria acontecido conosco, do contrário, nem mesmo se tivessem descoberto o que fizemos. Não acha justo? Nós dois, eu principalmente, provamos nosso valor como bons policiais por um bom tempo, você tem de admitir que no que tange ao oficial nós fizemos um bom trabalho, as coisas iam bem para nós, tínhamos perspectivas, era bem certo que seríamos nomeados carrascos também, como esse aqui, só que ele teve a sorte de ninguém reclamar dele, como não se recebem muitas reclamações desse tipo. Só que agora está tudo acabado, Sr. K., nossas carreiras acabaram, vamos ter que fazer trabalho muito inferior ao da polícia, e além de tudo isso vamos levar essa sova terrível e dolorosa.

– O bastão pode causar tanta dor assim? – perguntou K., testando o bastão que o carrasco gingava à frente de si.

– Vamos ter que ficar totalmente nus – respondeu Willem.

– Ah, entendo – comentou K., olhando fixamente para o carrasco, cuja pele era bronzeada feito a de um marinheiro, e o rosto exibia saúde e vigor. – Não há possibilidade de poupar esses dois da sova? – perguntou.

– Não – afirmou o carrasco, sacudindo a cabeça e sorrindo. – Dispam-se! – ele ordenou aos policiais. E para K., disse: – Não devia acreditar em tudo o que lhe dizem, é o medo de apanhar, já os deixou de cabeça fraca. Esse aqui, por exemplo – ele apontou para Willem –, tudo o que lhe disse sobre as perspectivas de carreira, é tudo muito ridículo. Olhe só para ele, veja como está gordo... Os primeiros golpes do bastão vão perder-se no meio de toda essa banha. Sabe por que é que ficou tão gordo assim? Ele tem esse hábito de, sempre que vai prender alguém, tomar o café da manhã da pessoa. Ele não tomou o seu? É, bem que eu imaginei. Mas um homem com uma barriga dessas não pode vir a ser carrasco, e nunca será, está fora de cogitação.

– Tem carrascos assim – insistiu Willem, que tinha acabado de tirar o cinto das calças.

– Não – negou o carrasco, acertando-o com um golpe tão forte de bastão no pescoço que o policial retraiu-se. – Você não devia estar escutando, apenas tire a roupa.

– Eu o recompensarei muito bem se deixá-los ir – disse K., e, sem olhar para o carrasco de novo, já que esse tipo de assunto é mais bem conduzido com os dois pares de olhos voltados para baixo, sacou a carteira.

– Depois, você pode fazer uma reclamação de mim também – comentou o carrasco –, e acabo sendo açoitado. Não, não!

– Ora, seja razoável – observou K. – Se eu quisesse que esses dois fossem punidos, não tentaria comprar a liberdade deles, certo? Podia, simplesmente, fechar a porta, ir para casa e não ver nem ouvir mais nada do assunto. Mas não é isso que estou fazendo, é muito mais importante para mim vê-los soltos; se eu tivesse imaginado que seriam punidos, ou ainda que pudessem ser punidos, jamais teria mencionado os nomes, para começo de conversa, já que não são eles os que considero responsáveis. É a organização que é a culpada, os funcionários superiores é que são os culpados.

– É isso mesmo! – gritaram os policiais, que imediatamente levaram outro golpe nas costas, agora expostas.

– Se você tivesse um juiz aqui, debaixo do bastão – falou K., empurrando o bastão para baixo ao falar, para impedir que fosse erguido mais uma vez –, eu não faria nada para impedi-lo, pelo contrário, eu até lhe pagaria para dar-lhe ainda mais incentivo.

– É, é tudo muito plausível o que está dizendo – comentou o carrasco. – Só que não sou o tipo de pessoa que se pode subornar. Meu trabalho é açoitar pessoas, então eu açoito.

Franz, o policial, estivera bem quietinho até então, provavelmente na expectativa dos bons resultados que viriam da intervenção de K., mas foi até a porta vestindo apenas as calças, ajoelhou agarrado no braço de K. e sussurrou:

– Mesmo que não consiga que ele tenha misericórdia de nós dois, tente libertar pelo menos a mim. Willem é mais velho que eu, é menos sensível que eu em todos os sentidos, ele até levou uma sova mais suave uns anos atrás, mas minha ficha continua limpa, eu só fiz as coisas que fiz porque o Willem me levou a fazer, ele é meu professor para o bem e para o mal. Lá na frente do banco, minha pobre noiva está esperando por mim na entrada, estou tão envergonhado, é uma pena.

O rosto do rapaz estava coberto de lágrimas, que ele limpou no casaco de K.

– Não vou esperar mais – disse o carrasco, segurando o bastão com as duas mãos e inclinando-se para Franz, enquanto Willem foi acocorar-se no canto, vendo tudo em segredo, sem ousar virar o rosto.

Então, o grito súbito disparado por Franz foi longo e irrevogável, pareceu vir não de um ser humano, mas de um instrumento sendo torturado, todo o corredor vibrou com ele, devia ter sido ouvido por todos no edifício.

– Não grite desse jeito! – exclamou K., incapaz de conter-se, e, enquanto olhava ansiosamente na direção de onde algum empregado podia surgir, deu um empurrão em Franz, não com força, mas forte o bastante para o rapaz cair no chão, inconsciente, agarrado ao piso com as mãos por reflexo; mesmo assim, não evitou ser atingido, o bastão encontrou-o no chão, a ponta do bastão voava com ritmo certo para cima e para baixo, enquanto ele rolava de um lado para o outro sob os golpes.

Um dos funcionários apareceu a distância, com outros poucos passos atrás. K. correu para fechar a porta, foi até as janelas que davam para o jardim e abriu uma delas. Os gritos tinham parado por completo. Para que o funcionário não entrasse, ele disse bem alto:

– Sou eu!

– Boa noite, escriturário-chefe – alguém devolveu. – Está com algum problema?

– Não, não – respondeu K. – É só um cachorro latindo no jardim. – Não ouvindo som algum do funcionário, acrescentou: – Pode voltar ao que estava fazendo.

Não queria envolver-se numa conversa com eles, então se inclinou para fora, na janela. Um pouco depois, quando checou o corredor, os funcionários tinham ido embora. K. permaneceu na janela, não ousava retornar à sala de bagunça, e não queria voltar para casa também. O jardim que podia ver era pequeno e retangular, ao redor só havia escritórios, todas as janelas estavam agora escuras e somente as mais do alto captavam o reflexo da lua. K. esforçou-se para enxergar na escuridão um canto do jardim, no qual alguns carrinhos de mão tinham sido deixados, um atrás do outro. Sentia-se angustiado por não ter podido evitar a sova, mas não era culpa dele, se Franz não tivesse gritado daquele jeito – claro que devia ter sentido muita dor, mas é importante manter o autocontrole em momentos importantes –, se Franz não tivesse gritado, seria muito provável que K. conseguiria dissuadir o carrasco. Se todos os funcionários juniores eram desprezíveis, por que o carrasco, cuja posição era a mais desumana de todas, seria exceção? E K. notara muito claramente como os olhos dele acenderam quando ele viu o dinheiro, ele obviamente demonstrara seriedade com relação à sova apenas para aumentar um pouco o valor do suborno. E K. não fora mesquinho, queria mesmo ver os policiais libertos; se ele tinha de fato começado a tomar providência contra a degeneração da corte, era apenas essencial que ele tomasse providência ali também. Mas claro, ficou impossível para ele fazer alguma coisa assim que Franz começou a gritar. K. não podia, de modo algum, deixar que a equipe júnior do banco, e talvez quaisquer outras pessoas, aparecesse e o pegasse de surpresa regateando com aquelas pessoas na sala de bagunça. Ninguém podia esperar esse tipo de sacrifício da parte dele. Se essa tivesse sido a intenção dele, então seria mais fácil, K. teria tirado as próprias roupas e se oferecido ao carrasco para sofrer no lugar do policial. O carrasco certamente não aceitaria essa substituição, de qualquer modo, já que ao fazer isso estaria violando seriamente seu dever, sem ganhar benefício algum. Teria violado seu dever duplamente, pois funcionários da corte deviam, provavelmente, ter ordens para não causar mal algum a K. enquanto enfrentasse acusações, embora devessem haver condições especiais atuando ali. Fosse lá como se dispunham os fatores, K. não podia fazer mais do que fechar a porta, embora isso não fizesse quase nada para pôr fim a todos os perigos que ele enfrentava. Arrependia-se de ter empurrado Franz, ato que podia somente ser escusado pelo calor do momento.

    Ao longe, ele ouviu os passos dos funcionários; não queria que reparassem muito na presença dele, então fechou a janela e foi até a escadaria principal. Na porta da sala de bagunça, parou e ficou ouvindo um pouco. Estava tudo quieto. Os dois policiais estavam inteiramente à mercê do carrasco; ele podia tê-los espancado até a morte. K. levou a mão à maçaneta, mas a puxou de volta subitamente. Não estava mais em posição de ajudar ninguém, e os funcionários logo voltariam; ele prometeu a si mesmo, no entanto, que levantaria a questão para alguém e procuraria garantir que, até onde podia garantir, os verdadeiros culpados, os altos funcionários que ninguém até então ousara destacar, recebessem a devida punição. Descendo a escadaria principal na entrada do banco, foi olhando cautelosamente para todos que passavam, mas não havia garota nenhuma que pudesse estar esperando por alguém, nem mesmo a certa distância do banco. A alegação de Franz, de que a noiva aguardava por ele, mostrava-se, portanto, ser mentira, embora mentira perdoável e que pretendia somente incitar mais simpatia.

Os policiais continuaram nos pensamentos de K. durante todo o dia seguinte; ele não conseguiu concentrar-se no trabalho e teve de ficar em sua sala um pouco mais do que no dia anterior para poder terminá-lo. A caminho de casa, ao passar novamente pela sala de bagunça, abriu a porta como se fosse habitual. Em vez da escuridão que esperava, viu tudo exatamente como estava na noite anterior, e não soube como reagir. Tudo estava exatamente do mesmo jeito que vira quando abrira a porta na noite anterior. Os formulários e garrafinhas de tinta atrás da porta, o carrasco com o bastão, os dois policiais, ainda sem roupa, a vela na estante, e os dois policiais começaram a berrar e chamar "Sr. K.!". K. bateu a porta num golpe, e até bateu nela com os punhos, como se isso fosse trancá-la mais ainda. Quase em lágrimas, correu para os funcionários que trabalhavam em silêncio na máquina de copiar.

– Vão até a sala de bagunça e limpem tudo! – gritou, e, aturdidos, os homens pararam o que faziam. – Isso devia ter sido feito há muito tempo, estamos imersos em sujeira!

Os funcionários poderiam cumprir a ordem no dia seguinte. K. consentiu, era tarde demais para fazê-los obedecer imediatamente, como ele pretendera inicialmente. Ele se sentou e ficou ali por um tempo, no intuito de mantê-los por perto um pouco mais, deu uma olhada numas cópias para dar a impressão de que as checava e então, vendo que os homens não ousariam partir ao mesmo tempo em que ele, foi para casa, cansado e com a mente anestesiada.

CAPÍTULO SEIS
O tio. Leni.

Certa tarde – K. estava muito ocupado, preparando a correspondência –, um tio de K., Karl, pequeno fazendeiro, entrou no quarto, abrindo caminho entre dois funcionários que traziam papelada. K. esperara por muito tempo que o tio aparecesse, mas vê-lo o colocou em muito maior choque do que a perspectiva da visita causara muito antes. O tio estivera mesmo para vir, K. sabia disso fazia cerca de um mês. Na época, ele já achava que podia até ver como o tio chegaria, ligeiramente curvado, de chapéu panamá batido na mão esquerda, a direita estendida para a mesa muito antes de chegar perto enquanto o homem avançava estabanado para o sobrinho, derrubando tudo o que via pela frente. Esse tio estava sempre com pressa, pois sofria da crença infeliz de que tinha uma porção de coisas a fazer durante a estadia na cidade grande e devia resolver todas num único dia – suas visitas duravam sempre somente um dia –, e ao mesmo tempo achava que não podia passar sem nenhuma conversa ou negócio ou prazer que surgisse ao acaso. O tio Karl fora guardião de K., por isso ele tinha por dever ajudá-lo em tudo isso, tanto quanto lhe oferecer cama para passar a noite.

– Sou perseguido por um fantasma do campo – diria ele.

Assim que se cumprimentaram – K. convidara-o a se sentar na poltrona, mas o tio Karl não tinha tempo para sentar-se –, ele disse queria falar brevemente com K. em particular.

– É necessário – observou, engolindo em seco. – É necessário para a minha paz de espírito.

K., imediatamente, dispensou os funcionários da sala e disse-lhes que não deixassem ninguém entrar.

– Que é isso que andei ouvindo, Josef? – resmungou o tio de K. quando se viram sozinhos, ao sentar-se sobre a mesa, afastando diversos papéis que estavam embaixo de si sem prestar atenção neles, para ficar mais confortável.

K. não disse nada, sabia o que estava por vir, mas, subitamente aliviado do trabalho que vinha fazendo, entregou-se a uma agradável lassitude e foi admirar, pela janela, o outro lado da rua. De onde estava, podia ver somente uma pequena porção triangular, parte das paredes nuas das casas entre duas vitrines de loja.

– Está olhando lá para fora! – exclamou o tio, erguendo os braços. – Pelo amor de Deus, Josef, me responda! É verdade? É verdade mesmo?

– Tio Karl – disse K., arrancando-se do devaneio. – Não faço ideia do que quer de mim.

– Josef – retrucou o tio, com tom ameaçador –, até onde eu sei, você sempre disse a verdade. Devo levar o que acaba de dizer como um mau sinal?

– Acho que sei o que deseja – comentou K., obediente. – Imagino que tenha ouvido falar do meu processo.

– Isso mesmo – afirmou o tio, muito interessado. – Ouvi falar do seu processo.

– De quem ouviu falar nisso? – perguntou K.

– Erna escreveu-me – disse o tio. – Ela não tem muito contato com você, verdade, você não lhe presta muita atenção, receio dizer, mas ela ficou sabendo mesmo assim. Recebi a carta dela hoje e, claro, vim direto para cá. E por nenhum outro motivo, pois este me parece ser motivo suficiente. Posso ler para você a parte que lhe diz respeito. – Ele sacou a carta da carteira.

– Lá vai. Ela diz: "Não vejo Josef faz um bom tempo. Estive no banco na semana passada, mas Josef estava tão ocupado que não me deixaram entrar; fiquei esperando lá por quase uma hora, mas tive que ir para casa, pois tinha aula de piano. Teria sido muito bom falar com ele, talvez tenhamos chance numa próxima vez. Ele me mandou uma caixa grande de bombons em meu aniversário, foi muito gentil e atencioso da parte dele. Esqueci-me de contar-lhe sobre isso quando escrevi, e só me lembrei agora que o senhor perguntou. Chocolate, como o senhor certamente sabe, desaparece muito rapidamente nesta hospedaria; quase assim que ficamos sabendo que alguém nos deu chocolate, ele se vai. Mas há outra coisa que queria contar-lhe acerca de Josef. Como eu disse, não me deixaram entrar para vê-lo no banco, porque ele estava negociando com uns cavalheiros na hora. Depois de ter esperado por um bom tempo, perguntei a um funcionário se a reunião dele duraria muito mais. Ele disse que poderia sim, visto que devia tratar-se dos procedimentos legais, disse ele, que estavam sendo conduzidos contra Josef. Perguntei que tipo de procedimentos legais estavam sendo conduzidos contra o escriturário-chefe, e se o rapaz não estava enganado, mas ele disse que não estava enganado, havia procedimentos legais em andamento e se tratava de algo muito sério, mas ele não sabia mais nada do assunto. Ele disse que gostaria de poder ser de alguma serventia para o escriturário-chefe, visto que ele era um cavalheiro bom e honesto, mas ele não sabia o que poderia fazer e somente torcia para que houvesse cavalheiros influentes que pudessem ficar do lado do chefe. Tenho certeza de que é isso que vai acontecer e que tudo acabará do melhor jeito, porém entrementes a situação não parece nada boa, e isso se pode ver pelo humor do chefe. Claro, não depositei muita importância nessa conversa, e até fiz tudo o que pude para tranquilizar as ideias do rapaz, era um homem muito simples. Disse-lhe que ele não devia falar a ninguém mais sobre isso, e acho que não passa de rumores, mas ainda acho que seria bom se o senhor, meu pai, se você investigasse o caso na próxima vez que for visitá--lo. Será fácil para o senhor descobrir mais detalhes e, se for realmente necessário, fazer algo a respeito por meio das pessoas importantes e influentes que conhece. Contudo, se não for necessário, e é o que me parece mais provável, pelo menos sua filha muito em breve terá a chance de dar-lhe um abraço, e mal posso esperar por isso". É uma boa menina – disse o tio de K. quando terminou de ler, e limpou umas poucas lágrimas dos olhos.

K. apenas escutava. Com todas as diversas reviravoltas que enfrentara nos últimos tempos, esquecera-se completamente de Erna, até do aniversário, e a história dos bombons obviamente fora inventada para que ele não entrasse em apuros com a tia e o tio. Era tudo muito tocante, e até os ingressos de teatro que ele pretendia enviar-lhe regularmente dali em diante não seriam suficientes para recompensá-la, mas ele não considerava correto visitá-la na hospedagem e ficar de conversa com uma estudante de dezoito anos de idade.

– E o que tem a dizer de tudo isso? – perguntou o tio, que se esquecera de toda a pressa e empolgação enquanto lia a carta, e parecia prestes a repetir a leitura.

– Sim, tio – respondeu K. –, é verdade.

– Verdade! – exclamou o tio. – Verdade o quê? Como pode ser verdade? Que espécie de processo é esse? Não é criminal, espero.

– É um processo criminal – respondeu K.

— E você fica aí sentado, tranquilo, com um processo criminal nas costas? – gritou o tio, ainda mais alto.

— Quanto mais calmo eu permaneço, melhor será para o resultado – comentou K. numa voz cansada. – Não se preocupe.

— Como não vou me preocupar? – gritou o tio. – Josef, meu querido Josef, pense em você, na sua família, pense na reputação do nosso nome! Até hoje, você sempre foi nosso orgulho, não vá querer ser a nossa desgraça. Não gosto de como está agindo – disse, olhando para K. com a cabeça meio pensa –, não é assim que um homem inocente se comporta quando é acusado de alguma coisa, não se ainda tem um pouco de força dentro de si. Diga-me do que se trata para que eu possa ajudar. É alguma coisa relacionada ao banco, suponho.

— Não é – retrucou K., levantando-se. – E está falando alto demais, tio. Creio que alguém da equipe está ouvindo atrás da porta e acho bastante desagradável. É melhor irmos a outro lugar, então poderei responder a todas as suas perguntas, as que souber. E sei muito bem que tenho de prestar contas à família do que faço.

— Com certeza! – gritou o tio. – Muito bem, tem sim. Ora, vamos andando, Josef, vamos logo!

— Ainda tenho uns documentos para preparar – falou K., e, usando o comunicador, chamou o assistente, que entrou alguns momentos depois.

O tio de K., ainda bravo e excitado, gesticulou para indicar que K. convocara o homem, ainda que não houvesse necessidade de fazer isso. Em pé em frente à mesa, K. explicou ao rapaz, que ouvia tudo com calma e atenção, o que precisaria ser feito no dia de sua ausência, falando em tom calmo e usando vários documentos. A presença do tio de K. enquanto a preleção ocorria fora bastante incômoda; ele não quis ouvir o que estava sendo dito, mas inicialmente ficou ali do lado, de olhos escancarados, mordendo os lábios nervosamente. Depois, começou a andar de um lado a outro da sala, parava vez por outra na janela, ou em frente a um quadro, sempre soltando várias exclamações, como "Acho isso totalmente incompreensível!" ou "Agora me diga, como é que se entende uma coisa dessas?". O rapaz fingia não notar nada isso, e escutou as instruções de K. até o fim, fez algumas anotações, cumprimentou K. e o tio, e deixou a sala. O tio dera as costas ao sobrinho e olhava pela janela, juntando as cortinas com as mãos estendidas. A porta mal se fechara quando ele disse:

– Até que enfim! Agora que ele parou de futricar, podemos ir!

Quando alcançaram o saguão frontal do banco, onde havia diversos membros da equipe e, justamente nesse instante, passava o diretor assistente, infelizmente não havia jeito de impedir o tio de, continuamente, fazer perguntas sobre o processo.

– Agora, Josef – começou ele, quase não notando os cumprimentos dos colegas ao redor, pelos quais passavam –, conte-me tudo sobre esse julgamento; de que tipo se trata?

K. fez um ou outro comentário que transmitia pouca informação, até riu um pouco, e foi somente quando chegaram à escadaria frontal que ele explicou ao tio que não quisera falar abertamente perante aquelas pessoas.

– Muito bem – explicou o tio –, mas agora se ponha a falar.

Olhando de lado e fumando o charuto em baforadas curtas e impacientes, o tio ouvia.

– Primeiro de tudo, tio – disse K. –, não é um julgamento que ocorreria num tribunal normal.

– Pior ainda – completou o tio.

– Ora, por quê? – K. perguntou, olhando para o outro.

– Quero dizer que só pode ser pior – repetiu.

Estavam na escadaria frontal do banco; visto que o porteiro parecia escutar o que diziam, K. trouxe o tio um pouco mais adiante, onde foram absorvidos pelo alvoroço da rua. O tio tomou K. pelo braço e parou de fazer perguntas tão urgentes sobre o processo; foram caminhando em silêncio.

– Mas como tudo isso foi acontecer? – finalmente perguntou, parando tão abruptamente que as pessoas que andavam logo atrás se assustaram, tendo de evitar trombar com ele. – Coisas desse tipo não acontecem subitamente, elas começam a se desenrolar com muita antecedência, deve ter havido sinais, alertas, por que não me escreveu? Sabe que eu faria qualquer coisa por você, em certo sentido ainda sou seu guardião, e até hoje isso é algo de que me orgulho. Vou ajudar mesmo assim, claro que vou, só que agora que o julgamento já está em curso, tudo fica muito mais difícil. Mas que seja; o melhor agora é tirar umas férias e passar um tempo conosco no campo. Você perdeu peso, estou vendo agora. A vida no campo lhe dará força, será muito bom, é bem provável que tenha muito trabalho duro pela frente. Mas, além disso, será um modo de tirá-lo de perto da corte, em certo sentido. Aqui eles têm de tudo para mostrar os poderes à disposição deles e são automaticamente obrigados a usá-los contra você; no campo, terão de delegar autoridade a pessoas diferentes ou somente tentar incomodá-lo por carta, telegrama ou telefone. E isso deve enfraquecer o efeito, não o livrará deles, mas lhe dará um pouco de ar.

– Você poderia me proibir de partir – comentou K., que fora ligeiramente atraído para o modo de pensar do tio pelo que ele dizia.

– Não pensei que fosse querer partir – disse o tio, pensativo. – Não sofrerá tanta perda de poder apenas por mudar-se.

K. agarrou o tio por debaixo do braço para impedir que parasse de andar e disse:

– Achei que você fosse achar tudo isso menos importante do que eu acho, e agora está achando muito pior.

– Josef – falou o tio, tentando desenrolar-se dele para poder parar de andar, mas K. não o soltava –, você mudou completamente. Era tão astuto, está perdendo a cabeça? Quer perder nesse julgamento? Entende o que isso significaria? Que seria basicamente aniquilado. E que todos que conhece seriam derrubados junto ou no mínimo humilhados, desgraçados até a ruína. Josef, recomponha-se. Essa sua indiferença está me deixando louco. Olhando para você, quase acredito naquele antigo ditado: "Tratar um julgamento assim significa perder um julgamento assim".

– Meu querido tio – comentou K. –, não fará bem algum ficar excitado, não fará bem a você e não fará bem a mim. O caso não será ganho apenas por ficar excitado e, por favor, admita que minha experiência prática conta para alguma coisa, assim como eu sempre respeitei e ainda respeito a sua experiência, mesmo quando me surpreende. Você diz que a família também será afetada pelo processo; eu realmente não vejo como, mas isso não vem ao caso, e estou bastante disposto a seguir suas instruções em tudo isso. Só que não vejo vantagem alguma em ficar no campo, nem mesmo para você, pois isso indicaria fuga e culpa. E, além disso, embora eu esteja mais sujeito a perseguição se ficar na cidade, posso também conduzir a questão adiante melhor aqui.

– Tem razão – concordou o tio num tom que pareceu indicar que, finalmente, aproximavam-se. – Só fiz essa sugestão porque, do modo que vi, se você ficasse na cidade o caso seria posto em perigo pela sua indiferença para com ele, e pensei que seria melhor se eu fizesse todo o trabalho em seu lugar. Mas, se for conduzir as coisas você mesmo, com toda a força, então será melhor, naturalmente.

– Estamos de acordo, então – afirmou K. – E tem alguma sugestão para o que devo fazer em seguida?

– Bom, naturalmente, terei de pensar um pouco – disse o tio. – Você precisa levar em conta que estou morando no campo faz vinte anos, quase sem intervalo, a pessoa perde a habilidade de lidar com questões como essa. Mas tenho, sim, conexões importantes com diversas pessoas que, espero, sabem lidar com essas coisas muito melhor do que eu, e contatá-las é essencial. Lá no campo andei perdendo o condicionamento, com certeza já sabe disso. É apenas em tempos como estes que você percebe. E esse seu problema veio muito inesperadamente, embora, por estranho que pareça, eu esperara algo do gênero depois que li a carta de Erna, e hoje, quando vi seu rosto, soube quase com total certeza. Mas tudo isso é bobagem, o importante agora é que não temos tempo a perder.

Ainda enquanto falava, o tio de K. ficou nas pontas dos pés para chamar um táxi, puxou K. para dentro do carro atrás de si e cantou um endereço ao motorista.

– Vamos agora ver o Dr. Huld, o advogado – disse. – Estudamos juntos. Estou certo de que já ouviu falar dele, não? Não? Ora, que estranho. Ele tem muito boa reputação como advogado de defesa e por trabalhar para os pobres. Mas o estimo principalmente por sua confiança.

– Por mim, tudo bem, o que quiser fazer – concordou K., embora estivesse inquieto por causa do jeito corrido e urgente com que o tio lidava com o assunto.

Não era muito encorajador, para o acusado, ser levado a um advogado dos pobres.

– Eu não sabia – comentou ele – que se podia contratar um advogado para esse tipo de caso.

– Ora, claro que pode – explicou o tio –, não tem nem o que falar. Por que não contrataria um advogado? E agora, para eu ficar mais por dentro da questão, conte-me o que aconteceu até agora.

K. começou a contar ao tio o que vinha acontecendo, sem omitir nada – ser completamente aberto com ele era o único modo de protestar contra a crença do tio de que o processo era uma grande desgraça. Mencionou o nome da Srta. Bürstner apenas uma vez, por acaso, mas isso em nada diminuiu a franqueza com que se abria com relação ao processo, visto que a moça não tinha qualquer relação com a história. Enquanto falava, olhando pela janela, reparou que chegavam cada vez mais perto do subúrbio, no qual ficavam os escritórios. Ele apontou o fato para o tio, que não achou a coincidência especialmente digna de nota. O táxi parou em frente a um edifício escuro. O tio de K. bateu na primeira porta do térreo; enquanto esperavam, ele sorriu, mostrando grandes dentes, e sussurrou:

– Oito horas; não é bem a hora usual de se visitar um advogado, mas Huld não vai se importar, porque sou eu.

Dois grandes olhos negros apareceram na escotilha da porta, avaliaram os dois visitantes por um segundo e então desapareceram; a porta, contudo, não se abriu. K. e o tio confirmaram um para o outro que de fato tinham visto um par de olhos.

– Empregada nova, com medo de estranhos – explicou o tio de K., e tornou a bater.

Os olhos apareceram mais uma vez. Dessa vez, pareceram quase tristes, mas a lâmpada que ardia com um silvo pouco acima das cabeças deles dava pouca luz, e tudo podia ter sido obra de ilusão.

– Abra a porta – pediu o tio de K., erguendo o punho contra ela –, somos amigos do Dr. Huld, advogado!

– O Dr. Huld está doente – alguém sussurrou atrás deles.

Numa porta no final de uma passagem estreita havia um homem de pijama, dando-lhes essa informação em voz extremamente baixa. O tio de K., que já estava muito irritado com a longa espera, virou-se abruptamente e retorquiu:

– Doente? Disse que ele está doente? – E avançou na direção do cavalheiro de modo aparentemente ameaçador, como se ele fosse a doença em si.

– Abriram a porta para vocês – explicou o homem, apontando para a porta do advogado.

Ele juntou as barras do pijama e desapareceu. A porta de fato fora aberta. Uma jovem – K. reconhecia aqueles olhos negros um tanto esbugalhados – apareceu na porta vestindo um comprido avental branco, segurando uma vela na mão.

– Da próxima vez, abra mais rápido! – retrucou o tio de K., em vez de cumprimentá-la, enquanto a menina fazia uma mesura curta. – Venha, Josef – disse ele a K., que se conduzia lentamente para a menina.

– O Dr. Huld não está bem – comentou ela, vendo o tio de K., inexorável, seguindo apressado para uma das portas.

K. continuava a olhar para a menina, maravilhado, que deu meia-volta a fim de bloquear a passagem para a sala de estar. Ela tinha um rostinho redondo de cãozinho, não somente as bochechas pálidas e o queixo eram redondos, mas as têmporas e a linha do cabelo também.

– Josef! – chamou o tio mais uma vez, e perguntou à menina: – É problema de coração?

— Acho que sim, senhor — respondeu a menina, que por ora tinha tido tempo de seguir adiante com a vela e abrir a porta do quarto.

Num canto do cômodo, aonde a luz da vela não chegava, um rosto de barba longa os olhava da cama.

— Leni, quem é que vem entrando? — perguntou o advogado, incapaz de reconhecer os visitantes, confundido que estava com a luz da vela.

— É seu velho amigo, Albert — comentou o tio de K.

— Oh, Albert — disse o advogado, desabando no travesseiro, como se saber quem o visitava o liberasse de manter as aparências.

— Está tão mal assim? — perguntou o tio de K., sentando-se na beira da cama. — Não acredito que esteja. É só recorrência do seu problema de coração, e vai passar, como das outras vezes.

— Pode ser — o advogado falou, baixinho —, mas está pior do que nunca. Mal consigo respirar, não consigo dormir e estou ficando fraco a cada dia que passa.

— Entendo — disse o tio de K., pressionando com força o chapéu panamá no joelho com sua mãozona. — Muito triste saber disso. Mas você está se cuidando direito? E está tão depressivo aqui dentro, tão escuro. Faz muito tempo que estive aqui, mas me pareceu mais amigável na época. Até mesmo essa sua jovem aqui não parece ter muita vida dentro dela, a não ser que seja fingimento.

A empregada ainda estava junto à porta, com a vela; pelo que dava para enxergar, ela observava K. mais do que observava o tio, mesmo estando ele falando sobre ela. K. recostou-se numa cadeira que puxara para perto da menina.

— Quando você está doente como estou — explicou o advogado —, precisa de um pouco de paz. Não acho nada depressivo. – Após uma pequena pausa, acrescentou: – E Leni cuida muito bem de mim, é uma boa moça.

Contudo, isso não bastou para persuadir o tio de K., que tinha obviamente criado implicância com a cuidadora do amigo, e, ainda que não contradissesse o inválido, perseguiu a moça com um olhar feio quando ela foi até a cama, deitou a vela na mesa de cabeceira e, inclinada sobre a cama, fez o maior reboliço para arrumar os travesseiros. O tio de K. quase se esqueceu de demonstrar consideração para com o homem acamado, levantou-se, foi até atrás da empregada, e K. não teria ficado surpreso se o tio tivesse agarrado a moça pelas saias e a arrastado para longe da cama. Já ele, assistia a tudo com tranquilidade, nem estava desapontado de ter encontrado o advogado adoentado, não pudera fazer nada para opor-se ao entusiasmo que o tio desenvolvera pelo assunto, e estava contente agora em ver tal entusiasmo sendo distraído sem ter precisado fazer nada a respeito. O tio, provavelmente querendo ofender a cuidadora do amigo, disse:

– Minha jovem, por favor, deixe-nos a sós um pouco, tenho assuntos pessoais a discutir com meu amigo.

A enfermeira do Dr. Huld ainda estava inclinada sobre a cama do doente, alisando o tecido que cobria a parede ao lado. Ela apenas virou o rosto e, em contraste gritante com a raiva que primeiro impedira o tio de K. de falar e depois o fizera soltar as palavras numa golfada, disse muito calmamente:

– Como você pode ver, o Dr. Huld está tão doente que não pode discutir assunto nenhum.

Foi provavelmente apenas por conveniência que ela repetiu as palavras ditas pelo tio de K., mas alguém que observasse de fora poderia tê-lo percebido como zombaria, e ele, claro, saltou nela como se tivesse levado uma ferroada.

– Ora, sua...

Nos primeiros gorgolejos de excitação, as palavras do homem mal puderam ser compreendidas. K. ficou aturdido, ainda que esperasse algo do gênero, e correu para o tio com a intenção, sem dúvida, de fechar-lhe a boca com as duas mãos. Felizmente, no entanto, detrás da menina, o inválido ergueu-se. O tio de K. fez uma careta, como se engolisse algo asqueroso, e, mais calmo agora, disse:

– Naturalmente, não perdemos a cabeça, não ainda; se o que estou pedindo aqui não fosse possível, eu não pediria. Agora, por favor, vá-se embora!

A moça endireitou-se ao lado da cama, bem de frente para o tio de K. Ele pensou ter notado que ela acariciava a mão do advogado.

– Pode falar o que quiser na frente de Leni – disse o doente, num tom claro de quem implora.

– O assunto não é meu – afirmou o tio de K. – Não são os meus segredos.

E virou-se como se não quisesse mais negociar, mas dando-se mais tempo para pensar.

– De quem é o assunto, então? – perguntou o advogado, com a voz muito cansada, recostando-se mais uma vez.

– Do meu sobrinho – respondeu o tio de K. – Eu o trouxe comigo. – E apresentou-o: – Escriturário-chefe Josef K.

– Oh! – exclamou o doente, muito mais vivo agora, e estendeu a mão para K. – Mil perdões, não percebi que estava aí. – Depois se dirigiu à empregada: – Leni, pode ir – estendendo-lhe a mão, como se fosse uma despedida que teria de valer por um bom tempo.

Dessa vez, a moça não ofereceu resistência.

– Então, você – disse ele finalmente ao tio de K., que também se tinha acalmado e aproximado – não veio me visitar porque estou doente, mas para consultar-me.

O advogado parecia tão mais forte agora que pareceu que a ideia de ser visitado por estar doente de algum modo o deixara mais fraco, ele permanecia apoiado num dos cotovelos, o que devia ser bastante cansativo, e continuamente puxava um cachinho no meio da barba.

– Você já parece bem melhor – observou o tio de K. –, agora que aquela bruxa foi embora. – Ele interrompeu-se e sussurrou: – Aposto que ela está escutando! – E correu para a porta.

Atrás da porta, contudo, não havia ninguém. Ele não retornou decepcionado, pois, visto que ela não estava escutando, parecia-lhe pior do que se estivesse, mas provavelmente um tanto amargurado.

– Engana-se com relação a ela – disse o advogado, mas não fez mais nada para defendê-la; talvez fosse o jeito dele de indicar que ela não precisava de defesa. Porém, num tom muito mais comprometido, prosseguiu: – Quanto aos assuntos do seu sobrinho, ele será um empreendimento extremamente dificultoso, e seria sorte se minha força durasse tempo suficiente para ele; tenho muito receio de que não vá durar, mas, enfim, não quero deixar de tentar alguma coisa; se eu não durar, vocês podem arranjar outro. Para ser sincero, esse caso me interessa muito, e não me posso permitir que perca a chance de participar dele. Se meu coração desistir de todo, pelo menos terá encontrado um assunto no qual vale a pena falhar.

K. achou que não entendera nada de toda essa fala, ele olhou para o tio em busca de explicação, mas se sentou na mesa de cabeceira, com uma vela na mão; uma garrafinha de remédio rolou da mesa para o chão, e ele assentia a tudo que o advogado dizia, concordava com tudo, e vez por outra olhava para K., urgindo para mostrar a mesma complacência. Talvez o tio de K. já tivesse contado ao advogado sobre o processo. Mas isso era impossível, tudo o que acontecera até então testemunhava contra isso. Então, ele disse:

– Não entendo...

– Bom, talvez eu não tenha entendido bem o que disseram – comentou o advogado, tão aturdido e envergonhado quanto K. – Talvez tudo esteja indo rápido demais. Sobre o que queriam falar comigo? Achei que tivesse relação com o seu processo.

– Claro que tem – explicou o tio de K., que depois perguntou a ele: – Então, qual o problema?

– Sim, mas como é que você sabe do meu caso? – K. perguntou.

– Ah, entendo – respondeu o advogado, sorrindo. – Sou advogado, frequento círculos da corte, as pessoas falam de diversos casos, e os mais interessantes ficam na nossa mente, principalmente o que se refere ao sobrinho de um amigo. Não há nada de incomum nisso.

– Qual o problema, então? – mais uma vez perguntou o tio de K. – Parece meio desconfiado.

– Você frequenta círculos da corte? – K. perguntou.

– Sim – respondeu o advogado.

– Está fazendo perguntas feito uma criança – observou o tio de K.

– Que círculos eu deveria frequentar, se não dos membros da minha área? – acrescentou o advogado.

Isso soou tão incontestável que K. não respondeu. Quis dizer que o homem trabalhava na alta corte, não naquela do sótão, mas não conseguiu de fato expressá-lo.

– Veja você – continuou o advogado, como se explicasse algo óbvio, desnecessário e incidental – que também obtenho grande vantagem para os meus clientes misturando-me a essas pessoas, e faço isso de diversas maneiras, não é algo de que se pode ficar falando o tempo todo. Estou meio em desvantagem agora, porque estou doente, mas ainda recebo visitas de bons amigos meus da corte e descubro uma ou outra coisa. Talvez eu fique sabendo ainda mais coisas do que aqueles que estão na melhor condição de saúde e passam o dia todo na corte. E estou recebendo visita muito bem-vinda agora mesmo, a propósito.

Dizendo isso, o homem apontou para um canto do quarto.

– Onde? – perguntou K., quase rude, de tão surpreso.

K. olhou ao redor, inquieto; a velinha emanava muito pouca luz e não alcançava a parede oposta. E então algo começou a mover-se, de fato, naquele canto. À luz da vela sustentada pelo tio de K., um cavalheiro idoso podia ser visto sentado ao lado de uma mesinha. Estivera sentado ali por tanto tempo sem ser notado que podia muito bem nem estar respirando. Com muito rebuliço, levantou-se, obviamente descontente de ter atenção atraída para si. Foi como se, agitando as mãozinhas como pequenas asas, esperasse defletir quaisquer apresentações e saudações, como se não quisesse de maneira alguma perturbar os demais com sua presença, e parecia exortá-los a deixá-lo ali no escuro e esquecer que ele estava ali. Isso, contudo, era algo que já não se podia mais conceder-lhe.

– Você nos pegou de surpresa – disse o advogado, explicando-se, indicando alegremente ao cavalheiro que se aproximasse, e ele o fez, embora lentamente, hesitante, olhando ao redor, mas com certa dignidade.

— O diretor do escritório, oh, sim, perdoem-me, não os apresentei... Esse é meu amigo Albert K., esse é o sobrinho dele, o escriturário-chefe Josef K. Esse é o diretor do escritório. Então, o diretor do escritório teve a gentileza de vir me visitar. A pessoa somente aprecia o valor de uma visita dessas se já conheceu o segredo que é a pilha de trabalho que o diretor do escritório tem sempre sobre a cabeça. Bom, ele veio mesmo assim, tivemos uma conversa tranquila, até onde pude participar, estando tão fraco, e, embora não tivéssemos dito a Leni que ela não devia deixar entrar ninguém, pois não esperávamos por ninguém, ainda assim teríamos preferido continuar sozinhos, mas então veio você, Albert, metendo os punhos na porta, o diretor foi para o canto, levando com ele mesa e cadeira, mas agora eis que temos, digo, se assim desejarem, temos algo a discutir juntos, e seria bom se pudéssemos nos juntar a todos. Diretor... — disse ele, olhando para o lado, acenando, com um sorriso humilde, para uma poltrona ao lado da cama.

— Receio que só possa ficar por mais uns minutos — observou o diretor, sorridente, espalhando-se na poltrona e checando o relógio. — Os negócios me chamam. Mas não perderia a oportunidade de conhecer um amigo do meu amigo.

Ele inclinava ligeiramente a cabeça para o tio de K., que parecia muito contente com a nova amizade, mas não era o tipo de pessoa que expressa sentimentos de respeito e respondeu às palavras do diretor com riso envergonhado, porém alto. Que visão tenebrosa! K. podia assistir a tudo calado, visto que ninguém lhe prestava muita atenção. O diretor assumiu a liderança da conversa, o que parecia ser hábito dele, desde que fora convidado a aproximar-se, o advogado escutava tudo com atenção, com a mão junto ao ouvido, tendo sua fraqueza inicial pelo visto somente a função de afugentar os novos visitantes, o tio de K. servia como portador de vela – equilibrando a vela na coxa, enquanto o diretor vez por outra dava uma olhada nervosa nela – e logo foi liberado do embaraço, e encantou-se não somente com o jeito de falar do diretor, mas também com os gestos e acenos gentis que acompanhavam a fala. K., recostado no pé da cama, foi completamente ignorado pelo diretor, talvez deliberadamente, e servia ao velho apenas como plateia. Ademais, não fazia ideia do que tratava a conversa, e seus pensamentos logo se voltaram para a enfermeira e o péssimo tratamento que recebera do tio dele. Pouco depois, começou a se perguntar se já vira ou não o diretor em algum lugar antes, talvez entre as pessoas que estiveram presentes em sua primeira audiência. Podia estar enganado, mas acreditava que o diretor poderia muito bem ter estado entre os cavalheiros de barba fina da primeira fila.

Todos ouviram, então, um barulho vindo do corredor, como se um objeto de porcelana fora quebrado.

– Vou ver o que aconteceu – comentou K., e deixou o quarto lentamente, como se dando aos demais a chance de impedi-lo.

Mal pisara no corredor, procurando ambientar-se na escuridão com a mão ainda apoiada com firmeza na porta, quando outra mão, muito menor que a dele, pousou na sua e fechou a porta gentilmente. Era a empregada que esperava ali.

– Não aconteceu nada – ela sussurrou para ele. – Só joguei um prato na parede para tirar você dali.

– Eu também estava pensando em você – K. comentou, apreensivo.

– Melhor ainda – observou a enfermeira. – Venha comigo.

Alguns passos à frente, deram com uma porta de vidro, que a empregada abriu para ele.

– Entre aqui – disse ela.

Era o escritório do advogado, cheio de móveis velhos e pesados, como se podia enxergar sob o luar, que agora iluminava somente um pequeno setor retangular do piso em cada uma de três grandes janelas.

– Por aqui – pediu a moça, apontando para um tronco escuro com encosto de madeira trabalhada.

Quando se sentou, K. continuou a olhar ao redor, era uma sala grande com pé direito alto. Os clientes daquele advogado dos pobres deviam sentir-se perdidos ali dentro. K. achou que até podia ver os passinhos com os quais os visitantes abordavam a imensa mesa. Mas logo se esqueceu de tudo aquilo, pois tinha olhos apenas para a enfermeira, que estava sentada bem perto dele, quase o prensando contra o braço do banco.

– Eu pensei – comentou ela – que você viria aqui fora me ver sem que eu tivesse de chamar. Foi estranho. Primeiro me encara assim que entra, e depois me deixa esperando. E deve me chamar de Leni, também – ela acrescentou, rápida e subitamente, como se momento nenhum dessa conversa pudesse ser perdido.

– Com prazer – disse K. – Mas quanto à estranheza, Leni, tem fácil explicação. Primeiro, eu tinha de ouvir o que o homem dizia, e não podia sair sem bom motivo. Segundo, não sou uma pessoa ousada, na verdade sou bem tímido, e você, Leni, não me pareceu do tipo que se entrega no primeiro gesto.

– Não é isso – explicou Leni, apoiando um braço no encosto e olhando para K. – Você não gostou de mim, e não creio que esteja gostando agora.

– Gostar não seria muita coisa – observou K., evasivo.

– Oh! – a moça exclamou, sorrindo, usando, assim, o comentário de K. como vantagem sobre ele.

K., então, ficou em silêncio por um tempo. A essa altura, acostumara-se à escuridão da sala e podia divisar vários acessórios e adornos. Ficou, especialmente, impressionado com um quadro grande pendurado à direita da porta; inclinou-se à frente para enxergá-lo melhor. Era o retrato de um homem de manto de juiz; sentava-se num trono elevado adornado de maneira que o dourado destacava-se da figura. O estranho do quadro era que o juiz não estava sentado com calma e dignidade, mas tinha o braço esquerdo pressionado contra o encosto, e o braço direito, contudo, estava completamente livre e apenas se apoiava no braço do trono pela mão, como se o homem estivesse prestes a saltar a qualquer momento, em vigoroso surto, e fazer algum comentário decisivo ou até dar a sentença. Provavelmente, devia-se supor o acusado em frente aos degraus, o primeiro deles podia ser visto na imagem, coberto por carpete amarelo.

– Deve ser o meu juiz – disse K., apontando um dedo para o quadro.

– Eu o conheço – afirmou Leni, fitando o quadro –, ele vem sempre aqui. Esse quadro é de quando ele era jovem, mas ele jamais teve essa aparência, pois é pequeno, quase minúsculo. Apesar disso, mandou que o fizessem parecer maior no quadro, pois é louco de vaidoso, como todo mundo por aqui. Mas até eu sou vaidosa, e fico muito chateada de você não gostar de mim.

K. respondeu a esse último comentário somente abraçando Leni e a trazendo para perto. Ela deitou calmamente a cabeça no ombro dele. Ao restante, no entanto, ele falou:

– Qual é o cargo dele?

– É juiz de instrução – explicou ela, tomando a mão com que K. a abraçara para brincar com os dedos dele.

— Apenas mais um juiz de instrução, de novo — comentou K., decepcionado. — Os magistrados seniores ficam escondidos. Mas aqui ele está sentado num trono.

— É tudo invenção — disse Leni, de rosto curvado sobre a mão de K. — Na verdade, está sentado numa cadeira de cozinha com um cobertor velho por cima. Mas você tem que ficar pensando o tempo todo no seu processo? — ela acrescentou suavemente.

— Não, nem um pouco — respondeu K. — Devo pensar até pouco demais nele.

— Não é esse o erro que está cometendo — falou Leni. — Você é inflexível demais, ouvi dizer.

— Quem disse isso? — perguntou K.

Ele sentiu o corpo dela junto ao peito e olhou para baixo, vendo os cabelos ricos, escuros, muito bem presos.

— Seria falar demais se eu lhe contasse isso — ela respondeu. — Por favor, não me peça para dizer nomes, mas pare de cometer esses seus erros, deixe de ser inflexível, não há nada que possa fazer para se defender desse tribunal, você tem de confessar. Então, confesse assim que tiver a chance. Somente, então, eles lhe darão a chance de escapar, não antes. Só que sem ajuda de fora até isso é impossível, mas não precisa se preocupar com essa ajuda, porque eu mesma quero ajudá-lo.

— Você sabe muito desse tribunal e de que tipo de truques se precisa — colocou K., erguendo-a, pois ela se achegava perto demais dele, no colo.

— Isso mesmo — afirmou ela, fazendo-se confortável no colo dele, alisando a saia e ajustando a blusa.

Em seguida, ela o envolveu com os braços, endireitou-se e o observou por um bom tempo.

– E se eu não confessar, você não pode me ajudar? – K. perguntou para testá-la.

"Estou acumulando mulheres para me ajudar", pensou ele, quase admirado. "Primeiro a Srta. Bürstner, depois a esposa do porteiro, e agora essa enfermeira, que parece ter um desejo incompreensível por mim. O jeito como está sentada no meu colo, como se fosse local adequado."

– Não – Leni respondeu, sacudindo lentamente a cabeça –, não poderia ajudá-lo assim. Mas você não quer a minha ajuda, de qualquer modo, não lhe significa nada, é teimoso demais e não será persuadido. – E, após uma pausa, ela perguntou: – Você tem uma amante?

– Não – respondeu K.

– Ah, deve ter – ela comentou.

– Bem, tenho sim. Veja, estou traindo a mulher mesmo tendo uma fotografia dela comigo.

Leni insistiu que ele lhe mostrasse a fotografia de Elsa, e então, encaracolada no colo dele, estudou a imagem com atenção. A fotografia não fora tirada com Elsa posando para ela, mostrava-a logo após ter dançado loucamente, como gostava de fazer nos bares, a saia ainda fluía com o giro, tinha as mãos nos quadris firmes e, com o pescoço retesado, olhava de lado rindo; não dava para ver, na imagem, para quem ela ria.

– O corpete está muito apertado – disse Leni, apontando para o local onde achava que isso podia ser constatado. – Não gosto dela; é estabanada e rude. Mas talvez seja gentil e amigável com você, essa é a impressão que se tem da imagem. Moças grandes e fortes como essa, em geral, não sabem ser nada além de gentis e amigáveis. Mas ela seria capaz de sacrificar-se por você?

— Não — respondeu K. — Ela não é gentil nem amigável, nem seria capaz de sacrificar-se por mim. Mas nunca pedi nada disso a ela. Nunca vi essa fotografia com tanta atenção quanto você.

— Não deve pensar muito nela, então — insinuou Leni. — Não pode ser sua amante.

— É sim — afirmou K. — Não vou retirar o que disse.

— Ora, ela pode até ser sua amante — disse Leni —, mas você não sentiria muita falta dela se a perdesse ou se a trocasse por outra pessoa; eu, por exemplo.

— Isso é certamente concebível — comentou K., com um sorriso. — Mas ela tem uma grande vantagem sobre você; ela não sabe nada do meu processo, e mesmo que soubesse não ficaria pensando nele. Não tentaria me persuadir a ser menos inflexível.

— Ora, isso não é vantagem coisa nenhuma — colocou Leni. — Se ela não tem alguma outra vantagem, posso continuar tendo esperança. Ela tem algum defeito no corpo?

— Defeito no corpo? — perguntou K.

— Isso — respondeu Leni. — Eu tenho um defeito no corpo, pequenino. Veja.

A moça separou os dedos da mão direita, bem no meio. Entre o dedo do meio e o anelar, a porção de pele que os conectava chegava quase até a ponta que encontrava o dedinho. No escuro, K. não viu logo de cara o que ela queria mostrar, então ela levou a mão dele ali para que pudesse sentir.

— Que coisa estranha — disse K., e, quando viu a mão inteira, acrescentou: — Que garra mais bonita!

Leni admirava sua deformação com um pouco de orgulho, enquanto K., repetidamente, abria e fechava os dedos dela, maravilhado, até que finalmente os beijou e soltou.

– Oh! – ela exclamou imediatamente. – Você me beijou!

Apressada e de boca aberta, a moça escalou o colo de K. com os joelhos. Ele estava quase aterrorizado quando a encarou, e agora que ela estava tão perto dava para sentir um cheiro amargo e irritante, como pimenta. Ela agarrou a cabeça dele, inclinou-se sobre ele e mordeu-lhe e beijou-lhe o pescoço, mordendo até os cabelos.

– Tomei o lugar dela! – exclamava, vez por outra. – Olha só, você me escolheu no lugar dela!

Nesse momento, o joelho da moça escorregou, e, com um gritinho, ela quase caiu no carpete. K. tentou segurá-la, envolvendo-a com os braços, e foi puxado junto.

– Agora você é meu – ela disse. As últimas palavras que lhe dissera, quando ele foi embora, foram: – Esta é a chave da porta. Venha quando quiser – e plantou um beijo aletoriamente nas costas dele.

Quando ele saiu pela porta de entrada, caía uma chuvinha fina. Ele estava prestes a ir até o meio da rua para ver se ainda podia ver Leni na janela quando o tio saltou de um carro que K., pensando em outras coisas, não vira aguardando ali em frente ao prédio. Ele agarrou K. com os dois braços e meteu-o contra a porta, como se quisesse pregá-lo ali.

– Meu jovem – ele gritou –, como pôde fazer uma coisa dessas? Ia tudo muito bem com o seu caso, mas agora você causou danos terríveis. Some por horas com aquela coisinha suja que, ademais, é obviamente a amada do advogado, e demora-se para voltar. Nem tenta achar desculpa, nem tenta esconder nada, não, age abertamente, foge com ela e fica lá. E, enquanto isso, ficamos sentados lá, seu tio, que está se esforçando tanto por você, o advogado que precisa ser convencido a ficar do nosso lado, e acima de tudo o diretor do escritório, cavalheiro muito importante que está no comando direto do seu caso, no estágio atual. Queríamos discutir o melhor jeito de ajudá-lo, tive de lidar muito cuidadosamente com o advogado, ele teve de lidar muito cautelosamente com o diretor, e você tinha todos os motivos para, pelo menos, dar-me um pouco de apoio. Em vez disso, desapareceu. No fim das contas, não pudemos mais continuar com o fingimento, mas esses são homens educados e muito capazes, não disseram nada, como se para poupar meus sentimentos, mas no final nem eles conseguiam forçar-se a tanto e, como não conseguiam mais falar do assunto, ficaram em silêncio. Ficamos lá sentados por muito tempo, prestando atenção para ver se estava voltando. Tudo em vão. No final, o diretor levantou-se, pois ficara muito mais tempo do que pretendia inicialmente, despediu-se, olhou para mim com simpatia, sem poder ajudar, esperou à porta por um bom tempo, embora eu não consiga entender por que ele foi tão bondoso, e então se foi. Eu, claro, fiquei feliz que ele se fora, pois estivera prendendo a respiração o tempo todo. Tudo isso teve muito mais efeito no advogado, deitado lá, doente, quando me despedi dele, o bom homem estava quase sem poder falar. Você provavelmente contribuiu para um colapso total e levou o homem do qual mais depende para mais perto da morte. E eu, seu tio, você me deixa aqui na chuva, sinta isso aqui, estou todo molhado, esperando por horas, doente de preocupação.

CAPÍTULO SETE
Advogado. Industrial. Pintor.

Numa manhã de inverno – caía neve sob uma luz fraca lá fora –, K. estava sentado em seu escritório, já extremamente cansado apesar de ser cedo. Dissera a um funcionário seu que estava engajado em atividade da maior importância e que ninguém da equipe júnior poderia entrar para vê-lo, de modo que não fosse por eles perturbado nem um pouco. Contudo, em vez de trabalhar, ele virou a cadeira, mudou lentamente diversos itens de lugar na mesa, e então, sem nem perceber que o fazia, esticou o braço na mesa e ficou ali sentado, imóvel, com o queixo afundado no peito.

Já não conseguia mais tirar a ideia do processo da cabeça. Vez por outra pensava se não seria uma boa ideia elaborar uma defesa escrita e entregar no tribunal. Ela contaria uma descrição curta da vida dele e explicaria o modo particular como ele agira em cada evento, e, como de algum modo importante, se ele agora considerava se tinha agido bem ou mal, e os motivos para tanto. Não havia dúvidas acerca das vantagens que uma defesa escrita desse tipo teria sobre confiar no advogado, que de modo algum era completamente isento de falha. K. não fazia ideia de que atitudes o advogado estava tomando; certamente, não era muita coisa, fazia mais de um mês que o ele o convocara, e nada das discussões prévias dera a K. a impressão de que o homem pudesse fazer muito por ele. Mais importante, ele quase não lhe fazia perguntas. E havia tantas perguntas a serem feitas. Fazer perguntas era o mais importante a se fazer. K. tinha a sensação de que seria capaz de fazer todas as perguntas necessárias sozinho. O advogado, ao contrário, não perguntava nada, era só ele quem falava, ou ficava sentado, olhando para K., inclinado levemente sobre a mesa; talvez pela dificuldade de ouvir, puxava uma mecha do meio da barba e ficava olhando para o carpete, talvez para o ponto exato em que K. deitara-se com Leni. Vez por outra, ele dava a K. uma vaga advertência do tipo que se dá a crianças. Suas falas eram tão sem sentido quanto entediantes, e K. resolvera que quando chegasse a conta, no final, ele não pagaria nem um centavo. Assim que o advogado achava que tinha humilhado K. o bastante, ele começava com algo que fosse animar os ânimos do rapaz. Já tinha, dizia ele, então, vencido tantos casos, em parte ou por completo, casos que talvez não tivessem sido tão complicados quanto esse, mas que, pelo que se podia ver inicialmente, tinham ainda menos esperança de sucesso. Ele tinha uma lista desses casos ali na gaveta – nesse ponto ele dava um tapinha em uma ou outra gaveta da mesa –, mas não poderia, infelizmente, mostrá-los a K. por tratar-se de segredos oficiais. Não obstante, a grande experiência que adquirira ao trabalhar com todos esses casos seria, claro, benéfica para K. Ele tinha, claro, começado a trabalhar imediatamente e estava quase pronto para enviar os primeiros documentos. Seriam bem importantes, porque a primeira impressão conferida pela defesa em geral determinava todo o curso dos procedimentos. Infelizmente, no entanto, era preciso ainda deixar claro a K. que os primeiros documentos enviados, em geral, nem são lidos pela corte. Eles, simplesmente, juntam-nos com os outros documentos e apontam que, por ora, questionar e observar o acusado são coisas muito mais importantes do que qualquer coisa escrita. Se o requerente insistir, eles acrescentam que antes de chegar a alguma decisão, assim que todo o material é reunido, com toda a consideração, é claro, a todos os documentos, então esses primeiros documentos a serem enviados também são checados. Contudo, infelizmente, nem mesmo isso é completamente verdade, os primeiros documentos enviados costumam ser desviados ou perdidos de todo e, mesmo que sejam guardados até o final, não são lidos, embora o advogado soubesse de tudo isso apenas por rumores. Tudo isso é muito triste, mas não lhe falta de todo a justificativa. K., no entanto, não devia esquecer-se de que o julgamento não seria público e, se a corte considerar necessário, ele pode ser tornado público, mas não há lei que mande que seja. Como resultado, o requerente e sua defesa não têm nem acesso aos registros do tribunal, e principalmente à acusação, e isso significa que não se sabe, em geral – ou pelo menos não precisamente –, de que têm de tratar-se esses primeiros documentos, ou seja, se eles contêm algo de relevante para o caso isso é apenas conseguido com sorte ou coincidência. Se algo acerca das acusações individuais e dos motivos delas fica claro ou pode ser suposto enquanto o acusado está sendo questionado, então é possível elaborar e enviar documentos que de fato estão relacionados ao caso e às provas presentes, mas não antes. Condições como essas, claro, colocam a defesa em posição bastante desfavorável e complicada. Mas a intenção é essa mesmo. Na verdade, a defesa não é tão permitida segundo a lei, mas apenas tolerada, e ainda há certa discussão quanto a se as partes mais relevantes da lei implicam isso mesmo. Portanto, falando estritamente, não há algo como um advogado reconhecido pela corte, e qualquer um que se ponha perante a corte como advogado basicamente não passa de um intrometido. O efeito de tudo isso, claro, é remover a dignidade de todo o procedimento. Na próxima vez em que K. se dirigisse ao tribunal, ele talvez fosse querer dar uma olhada na sala dos advogados, apenas para dizer que tinha visto. Bem possível que ficasse bastante chocado com o tipo de pessoas que veria reunidas ali. A sala em que são alocados, com o espaço apertado e o teto baixo, seria suficiente para mostrar o desprezo que a corte tem por essas pessoas. A única luz da sala vem de uma janelinha tão alta que, se alguém quisesse olhar por ela, teria de pedir a um dos colegas que o sustentasse nos ombros, e até a fumaça da chaminé em frente lhe subiria ao nariz e deixaria o rosto preto. No piso dessa sala – para dar outro exemplo das condições do local –, há um buraco que estava lá fazia já mais de um ano, não tão grande que um homem possa cair dentro, mas grande o bastante para o pé desaparecer nele. A sala dos advogados fica no segundo andar do sótão; se o pé da pessoa passar mesmo por ali, aparece no primeiro andar do sótão, abaixo, bem no corredor no qual ficavam aguardando os litigantes. Não é exagero quando os advogados dizem que tais condições são uma desgraça. Reclamações feitas à administração não surtem o menor efeito, mas os advogados são estritamente proibidos de mudar qualquer coisa na sala por conta própria. Mas até mesmo tratar os advogados desse jeito tem suas razões. Eles querem, o máximo possível, impedir qualquer tipo de defesa, tudo deve ficar a cargo do acusado. Não é um ponto de vista ruim, basicamente, mas nada pode estar mais errado do que tirar disso que os advogados não são necessários para o acusado nesse tribunal. Pelo contrário, não há tribunal em que fossem mais necessários do que esse. Isso porque os procedimentos são geralmente mantidos em segredo, não apenas do público, mas também do acusado. Somente até onde isso é possível, claro, mas é possível em grande medida. E o acusado não pode também ver os registros do tribunal, e é muito difícil inferir o que está nos registros do tribunal do que foi dito durante o interrogatório com base neles, principalmente para o acusado, que está em situação complicada e enfrenta todo tipo possível de preocupação a distraí-lo. É então que começava a defesa. O advogado de defesa, normalmente, não pode estar presente quando o acusado é interrogado, então depois, e se possível ainda na porta da sala de interrogatório, ele precisa aprender o que puder com ele e extrair o máximo que conseguir que seja útil, ainda que em geral o que o acusado tem a reportar costume ser bem confuso. Mas isso não é o mais importante, e de fato não há muito que possa ser aprendido desse modo, embora nesse sentido, como em qualquer outra coisa, um homem competente aprende mais do que outro. Não obstante, o mais importante são os contatos pessoais do advogado; é aí que jaz o valor real de consultar um advogado. Ora, muito provavelmente, K. já tinha aprendido por experiência própria que, entre suas ordens inferiores, a organização do tribunal certamente tem suas imperfeições. O tribunal é estritamente fechado para o público, mas funcionários que se esquecem de suas funções ou aceitam propina, até certo ponto, mostram onde estão as falhas. É por aí que a maioria dos advogados se enfia, é o momento de subornar e extrair informações; houve, pelo menos em épocas mais remotas, incidentes nos quais documentos foram roubados. Não se pode negar que resultados surpreendentemente favoráveis foram conseguidos pelo acusado desse modo, por tempo limitado, e esses advogados inferiores andam daqui para lá com base neles e atraem novos clientes, mas a longo prazo, nos procedimentos, não significava nada, ou nada de bom. As únicas coisas de verdadeiro valor são os contatos pessoais honestos, contatos com funcionários superiores, embora funcionários superiores dos níveis inferiores, veja bem. É esse o único jeito de fazer com que o progresso do julgamento seja influenciado, quase impossível de notar inicialmente, claro, mas dali em diante ficaria bem mais visível. Não há, claro, muitos advogados que podem fazer isso, e K. fizera boa escolha nesse sentido. Não havia, provavelmente, mais do que um ou dois que tivessem tantos contatos quanto o Dr. Huld, mas não se importam com a companhia da sala dos advogados e não têm relação alguma com ela. Isso significa que têm ainda menos contato com os funcionários do tribunal. Não é necessário ao Dr. Huld ir até o tribunal, aguardar nas antessalas para que cheguem os juízes de instrução, se aparecerem, e tentar conseguir algo que, de acordo com o humor dos juízes, em geral era mais aparente que real e mais comumente nem mesmo isso. Não, K. vira por si mesmo que os funcionários do tribunal, inclusive uns dos mais altos, expressam-se sem que lhes seja pedido, prontamente dão informação totalmente aberta ou pelo menos fácil de entender, discutem os estágios seguintes dos procedimentos, na verdade, em alguns casos são fáceis de serem conquistados e bastante dispostos a adotarem o ponto de vista do outro. Contudo, quando isso acontece, não se pode confiar neles em grande medida, pois, por mais firme que declarem esse novo ponto de vista, a favor do acusado, podem muito bem retornar a suas salas e escrever um relatório à corte que diz exatamente o oposto, e podem muito bem pegar ainda mais pesado com o acusado do que em sua visão original, da que insistiriam que foram completamente dissuadidos. E, claro, não há como defender-se disso, algo dito em particular é, de fato, particular e não pode ser usado em público. Não é algo que facilita para a defesa manter a opinião desses cavalheiros. Por outro lado, é verdade também que os cavalheiros não se envolvem com a defesa – que será, claro, feita com grande *expertise* – apenas por motivos filantrópicos ou para serem amigáveis, em certo sentido seria mais correto dizer que eles a têm também alocada sobre si. É aí que as desvantagens da estrutura de uma corte que, desde o início, estipula que todos os procedimentos sejam conduzidos em particular, vêm com toda a força. Em julgamentos normais, medíocres, os funcionários têm contato com o público, e são muito bem equipados para tanto, mas nesse caso não; os julgamentos normais seguem seu curso quase por conta própria, precisando somente de um cutucão aqui e ali; mas, quando têm de lidar com casos que são especialmente difíceis, ficam tão perdidos quanto ficam em geral com outros, muito mais simples; são forçados a passar o tempo todo, dia e noite, com suas leis, então não têm a sensibilidade ideal para relacionamentos humanos, e isso é uma deficiência das mais sérias. É nesses momentos que vêm pedir ajuda ao advogado, com o assistente logo atrás, carregando os documentos que normalmente são mantidos tão secretos. É possível ver muitos cavalheiros nessa janela, cavalheiros de que jamais se suspeitaria, olhando por essa janela, desesperados, para a rua abaixo, enquanto o advogado, em sua mesa, estuda os documentos para poder dar-lhes bom aconselhamento. E em momentos como esse é possível ver também com quão excepcional seriedade esses cavalheiros encaram sua profissão e como são colocados em grande confusão por dificuldades que apenas não são de sua natureza superar. Mas não se encontram em posição fácil, considerar fácil a situação deles seria fazer-lhes injustiça. As posições diferentes e as hierarquias da corte são intermináveis, e mesmo alguém que conhece todos os meandros nem sempre sabe dizer o que vai acontecer. Mas, mesmo para os funcionários inferiores, os procedimentos nos tribunais são usualmente mantidos em segredo, de modo que mal podem ver como os casos com que trabalham prosseguem, as questões do tribunal aparecem em seu campo de visão em geral sem que eles saibam de onde vieram, e eles seguem adiante sem de fato saber aonde vão. Então, funcionários civis como esses não são capazes de aprender as coisas que se pode aprender ao estudar os estágios sucessivos pelos quais passam os julgamentos individuais, o veredicto final e os motivos dele. É-lhes permitido apenas lidar com a parte do julgamento a que são alocados pela lei, e em geral sabem menos do resultado de seu trabalho depois que deles parte do que a defesa, ainda que a defesa em geral mantenha contato com o acusado até o julgamento estar quase no fim, de modo que os funcionários do tribunal podem obter informações úteis com a defesa. Mesmo tendo tudo isso em mente, K. ainda ficava surpreso com os funcionários irritados e, em geral, expressando-se com relação aos litigantes dos modos menos lisonjeiros – experiência essa partilhada por todos. Todos os funcionários vivem irritados, mesmo quando parecem estar calmos. Isso causa muita dificuldade para os advogados juniores, claro. Há uma história, por exemplo, que tem um quê de verdade. É mais ou menos assim: um dos funcionários mais antigos, um homem bom e pacífico, lidava com uma questão complicada para o tribunal que tinha virado uma grande confusão, principalmente graças à contribuição dos advogados. Estudava-a fazia um dia e uma noite, sem descanso – posto que esses funcionários eram, de fato, muito trabalhadores, ninguém trabalhava tanto quanto eles. Quando amanheceu, e ele vinha trabalhando havia 24 horas sem grande resultado, o homem foi até a entrada, ficou ali à espreita, e toda vez que um advogado tentava entrar no prédio, ele o jogava escadaria abaixo. Os advogados reuniram-se perante a escadaria e discutiram entre si o que deviam fazer; por um lado, não tinham direito de entrar no prédio, portanto não havia quase nada de legal que pudessem fazer ao funcionário, e, como já mencionei, teriam de ser cuidadosos para não colocar todos os funcionários contra eles. Por outro lado, qualquer dia gasto fora do tribunal era para eles um dia perdido, portanto era bastante importante forçar sua entrada. No final, concordaram que iam tentar cansar o homem. Um advogado por vez foi enviado escadaria acima para se deixar ser jogado para baixo de novo, oferecendo a resistência que pudesse contanto que fosse passiva, e os colegas o receberiam na base da escadaria. Isso se prolongou por cerca de uma hora, até que o cavalheiro, que já estava exausto de trabalhar a noite toda, ficou muito cansado e retornou ao escritório. Os que estavam no início da escadaria mal podiam acreditar inicialmente, então enviaram alguém para ir olhar atrás da porta e ver se realmente não havia ninguém ali, e apenas então se juntaram todos e provavelmente ninguém nem ousou reclamar, posto que está longe de ser função do advogado introduzir melhorias no sistema do tribunal, ou mesmo o desejar. Inclusive o mais inferior dos advogados pode entender essas relações até certa medida, mas um ponto significativo é que quase todo acusado, mesmo as pessoas mais simples, passa a pensar em sugestões para melhorar o tribunal assim que seus procedimentos começam, muitos deles até gastam tempo e energia na questão, os quais poderiam ser muito mais bem gastos em outras coisas. A única coisa certa a fazer é aprender a lidar com a situação como ela se apresenta. Ainda que seja possível melhorar algum aspecto da instituição – o que, afinal, não passa de superstição e *nonsense* –, o melhor que podem conseguir, embora com isso causem danos incalculáveis ao processo, é atrair a atenção especial dos funcionários para qualquer caso que venha a surgir no futuro, e os funcionários estão sempre prontos para querer vingança. A regra é nunca atrair atenção para si mesmo! E ficar calmo, por mais que isso seja diverso ao seu caráter! Tentar ganhar noção do tamanho do organismo que é o tribunal e de como, até certo ponto, ele permanece num estado de suspensão, e que, mesmo que se possa alterar alguma coisa num determinado ponto, isso faria com que o solo fosse puxado, muitas vezes debaixo dos seus pés, e você cairia, de modo que se um organismo enorme como a corte fosse perturbado num ponto, ele facilmente encontraria substituto para esse em outro lugar. Tudo está conectado com o restante e continuará sem mudar, ou, então, o que é ainda mais provável, ficará ainda mais fechado, mais atento, mais restrito, mais malevolente. Então é melhor deixar o trabalho para os advogados e não ficar perturbando. Não é muito bom ficar fazendo acusações, principalmente se não for possível deixar claro no que se baseiam e qual é seu significado total, mas é preciso dizer que K. causara grande dano ao próprio caso com seu comportamento para com o diretor do escritório, que era homem bastante influente, mas agora muito provavelmente não estava mais na lista daqueles que poderiam fazer algo por K. Se o processo é com ele mencionado, mesmo que de passagem, fica bastante claro que ele o ignora. Esses funcionários são, em muitos sentidos, como crianças. Vez por outra algo do mais inocente – embora o comportamento de K. não pudesse, infelizmente, ser considerado inocente – os faz sentir-se tão ofendidos que até param de conversar com bons amigos, e dão-lhes as costas quando os veem e fazem de tudo o que podem para opor-se a eles. Mas depois, sem motivo particular, e para grande surpresa, alguma piadinha em que se arriscou a pessoa apenas porque tudo parecia tão sem esperanças os faz rir e todos se reconciliam. É ao mesmo tempo difícil e complicado lidar com eles, e nem há tanto motivo para isso. Espantoso pensar que uma única vida normal possa envolver tanta coisa que seja minimamente possível conseguir qualquer sucesso no trabalho. Por outro lado, há também os momentos obscuros, os que todos possuem, quando se acha que não se conseguiu absolutamente nada, quando parece que os únicos processos que têm finais felizes são aqueles determinados a ter finais felizes desde o início e o fariam sem qualquer ajuda, enquanto todos os demais são causas perdidas apesar de todo o corre-corre daqui para lá, todo o esforço, todos os pequenos aparentes sucessos que dão tanta alegria. Então, a pessoa já não se sente mais tão certa de nada e, se perguntada sobre um processo que ia bem por sua própria natureza, mas que foi tombado para o pior, porque a pessoa nele pôs as mãos, nem ousa negar o fato. E até isso pode ser pensado como uma espécie de autoconfiança, mas é a única que resta. Os advogados são especialmente vulneráveis a acessos de depressão desse tipo – e não passam de acessos de depressão, claro – quando um caso é subitamente tirado das mãos deles depois que já o vinham conduzindo satisfatoriamente por algum tempo. Isso é, provavelmente, o pior que pode acontecer a um advogado. Não é que o acusado tira o caso das mãos dele, isso quase nunca acontece, quando um acusado aceita determinado advogado, tem de ficar com ele independentemente do que venha a acontecer. Como ele poderia cuidar das coisas sozinho depois que já aceitou a ajuda de um advogado? Não, isso simplesmente não acontece, mas o que às vezes acontece é que o processo assume um curso no qual o advogado talvez não possa prosseguir. Cliente e processo são simplesmente tomados do advogado; e então até mesmo ter contato com os funcionários do tribunal não ajudará, por melhores que sejam, posto que nada sabem. O processo terá entrado num estágio no qual não se pode mais ajudar, no qual está sendo conduzido em tribunais aos quais ninguém tem acesso, no qual o acusado não pode nem ser contatado pelo advogado. Você chega em casa um dia e encontra todos os documentos que enviara, os que trabalhara duro para produzir e para os quais tinha as maiores expectativas, deitados acima da mesa, por terem sido enviados de volta, pois não podem ser levados ao estágio seguinte do processo, são simplesmente pedaços inúteis de papel. Isso não significa que o caso foi perdido, de modo algum, ou pelo menos não há motivo definitivo para tal suposição, é só que você não sabe mais nada sobre o caso e ninguém lhe dirá o que está acontecendo. Bom, casos como esse são exceções, fico feliz em dizer, e, mesmo que o processo de K. seja um desses, ainda está, por ora, muito longe desse ponto. Mas ainda há oportunidade suficiente para os advogados trabalharem, e K. podia ter certeza de que eles seriam utilizados. Como ele dissera, a hora de enviar documentos ainda estava por vir, e não havia pressa em prepará-los, era muito mais importante começar as discussões iniciais com os funcionários adequados, e elas já haviam ocorrido. Com graus variados de sucesso, devia-se dizer. Era muito mais apropriado não entregar detalhes antes da hora, posto que desse modo K. seria apenas influcnciado de modo desfavorável e suas esperanças podiam ser iludidas ou ele poderia ficar ansioso demais, melhor dizer que alguns indivíduos haviam falado muito favoravelmente e se mostrado bastante dispostos a ajudar, embora outros falassem de modo menos favorável, mas até mesmo esses não se recusaram de todo a ajudar. Então, em suma, os resultados são muito encorajadores, você só não devia, certamente, criar nenhuma conclusão específica, visto que todos os procedimentos preliminares começam do mesmo modo, e seria apenas o modo como evoluiriam que mostraria qual era o valor desses procedimentos preliminares. De qualquer maneira, nada está perdido ainda, e, se tivermos sucesso em conseguir que o diretor do escritório, apesar de tudo, fique do nosso lado – e diversas ações foram conduzidas para esse fim –, então é tudo um ferimento limpo, como diria um cirurgião, e podemos esperar pelos resultados com certo conforto.

Quando começou a falar desse jeito, o advogado estava bem inquieto. Repetia tudo isso toda vez que K. ia vê-lo. Sempre havia algum progresso, mas jamais podiam dizer-lhe que tipo de progresso era esse. O primeiro conjunto de documentos a serem enviados estava sendo elaborado, só que não estava pronto ainda, o que acabava sendo uma grande vantagem para a vez seguinte em que K. fosse vê-lo, posto que a ocasião anterior teria sido um momento péssimo para enviá-los, algo de que não tinham como saber. Se K., estupefato com toda essa falação, observava que, mesmo considerando todas essas dificuldades, o progresso estava muito lento, o advogado objetava que o progresso não estava lento coisa nenhuma, mas que talvez progredissem mais se K. viesse vê-lo na hora certa. Mas ele viera tarde demais, e esse atraso traria ainda mais dificuldades adiante, e não somente no que se referia ao tempo. A única interrupção bem-vinda durante essas visitas era sempre quando Leni inventava de levar ao advogado o chá dele enquanto K. estava lá. Ela, então, ficava atrás de K. – fingindo observar o advogado curvando-se avidamente para a xícara, pondo o chá e bebendo – e deixava secretamente que K. lhe tomasse a mão. Ficavam sempre em completo silêncio. O advogado bebia. K.

apertava a mão de Leni, e Leni às vezes ousava acariciar gentilmente os cabelos de K.

– Ainda está aqui? – O advogado perguntava quando estava pronto.

– Eu queria levar a louça embora – dizia Leni, davam-se um último apertar das mãos, o advogado limpava a boca e começava a falar com K. novamente, com renovada energia.

O advogado estava tentando confortar K. ou confundi-lo? K. não sabia dizer, mas parecia claro para ele que sua defesa não estava em boas mãos. Tudo que o advogado dizia podia até estar certo, embora ele obviamente quisesse fazer-se o mais conspícuo possível e provavelmente jamais assumira um caso tão importante quanto dizia ser o de K. Mas ainda estava suspeito o modo com que ele mencionava continuamente seus contatos pessoais com os empregados civis. Seriam eles explorados somente em benefício de K.? O advogado jamais se esquecia de mencionar que estavam lidando somente com funcionários inferiores, ou seja, funcionários que dependiam de outros, e a direção tomada em cada processo podia ser importante para o avanço deles. Seria possível que estivessem usando o advogado para conduzir os processos numa certa direção, que acabaria, claro, sempre se desdobrando desfavoravelmente para o acusado? Certamente, não significava que fariam isso com todos os processos, isso não era nada provável, mas, sim, que havia processos em que davam ao advogado vantagens e todo o espaço de que precisava para conduzir o caso para a direção que quisesse, como seria também vantajoso para eles manter a reputação dele intacta. Se assim fosse mesmo o relacionamento deles, como direcionariam o processo de K., que, como o advogado explicara, era especialmente complicado e por isso importante o suficiente para atrair grande atenção desde quando chegara ao tribunal? Não podia haver muita dúvida quanto ao que iam fazer. Os primeiros sinais já podiam ser vistos no fato de que os documentos iniciais ainda não tinham sido enviados, mesmo tendo o processo iniciado fazia diversos meses, e que, segundo o advogado, estava tudo ainda nos estágios iniciais, o que conseguia com muita eficácia, claro, deixar o acusado passivo e mantê-lo incapacitado. Então ele poderia ser subitamente surpreendido com o veredicto, ou pelo menos com uma notificação de que a audiência não se decidira a favor dele e que a questão seria passada a um escritório superior.

Era essencial que K. tomasse as rédeas. Em manhãs de inverno como essa, quando estava muito cansado e tudo se conduzia letargicamente na cabeça dele, essa crença parecia irrefutável. Ele não sentia mais o desprezo pelo processo que sentira antes. Se estivesse sozinho no mundo, teria sido fácil para ele ignorá-lo, embora fosse certo também que, nesse caso, o processo jamais teria surgido, para começo de conversa. Mas, agora, o tio já o tinha arrastado para ver o advogado, ele precisava dar satisfações à família; seu emprego não estava mais totalmente separado do andamento do processo, pois ele mesmo tinha descuidadamente – com certa complacência inexplicável – mencionado a conhecidos e outros haviam descoberto, de modo que ele desconhecia, e sua relação com a Srta. Bürstner parecia correr risco por causa disso. Em suma, ele não tinha mais escolha quanto a aceitar o processo ou ignorá-lo, estava imerso nele e tinha de se defender. Se ficasse cansado, pior para ele.

Mas não havia motivo para se preocupar demais antes do necessário. Fora capaz de elevar-se a sua alta posição no banco em tempo relativamente curto e de retê-la com o respeito de todos, agora simplesmente teria de aplicar alguns dos talentos que tornaram isso possível para seu benefício no processo, e não havia dúvida de que ele acabaria bem. A coisa mais importante, se algo tinha de ser conseguido, era rejeitar com antecedência qualquer ideia de que pudesse ser, de qualquer modo, culpado. Não havia culpa. O processo não passava de um grande negócio, como os que ele já concluíra em benefício do banco diversas vezes, um negócio que escondia um monte de perigos à espreita, esperando por ele na moita, como sempre faziam, e esses perigos demandavam que ele se defendesse. Se quisesse ter sucesso nesse sentido, não podia entreter ideia alguma de ser culpado, independentemente do que fizesse, teria de buscar os próprios interesses com a maior atenção possível. Pensando assim, não havia escolha senão tirar sua representação das mãos do advogado o quanto antes, se possível naquela noite mesmo. O advogado lhe dissera, enquanto conversavam, que isso era algo de que jamais se ouvira falar e que provavelmente lhe causaria muito dano, mas K. não toleraria quaisquer impedimentos a seus esforços no que se referia ao processo, e esses impedimentos estavam sendo causados, provavelmente, pelo próprio advogado. Mas, assim que tivesse se livrado do advogado, os documentos teriam de ser enviados imediatamente, e, se possível, ele teria de garantir que alguém lidasse com eles diariamente. Claro que não bastaria, se viesse a ser necessário, que K. se sentasse no corredor, com o chapéu debaixo do banco, como os demais. Dia após dia, ele mesmo, ou uma das mulheres ou alguém mais em seu nome, teria de correr atrás dos funcionários e forçá-los a sentar-se em suas mesas e estudar os documentos de K. em vez de ficar olhando para o corredor por entre as vigas. Não poderia haver falha nesses esforços, tudo teria de ser organizado e supervisionado, já era sem tempo que o tribunal deparasse com um acusado que sabia como defender-se e lançar mão de seus direitos.

Mas quando K. sentiu-se confiante para tentar fazer tudo isso, a dificuldade de compor os documentos foi demais para ele. Anteriormente, coisa de uma semana ou mais, ele pôde sentir apenas vergonha ao pensar que seria forçado a escrever tais documentos ele mesmo; jamais lhe passara pela cabeça que a tarefa podia, também, ser difícil. Lembrava-se de uma manhã em que, já atolado de trabalho, pôs tudo de lado subitamente e pegou um bloco de papel no qual rabiscou algumas de suas ideias sobre como documentos desse tipo tinham de ser elaborados. Talvez ele as oferecesse àquele advogado meio devagar, mas foi então que a porta da sala do gerente abriu-se e o diretor assistente entrou, rindo alto. K. ficou muito embaraçado, embora o diretor assistente não estivesse, claro, rindo dos documentos de K., dos quais nada sabia, mas de uma piada que acabara de ouvir sobre a bolsa, piada esta que precisava de ilustração para ser entendida, e então o diretor assistente inclinou-se sobre a mesa de K., tomou-lhe o lápis da mão e fez a ilustração no bloco de papel, no qual K. pretendera colocar suas ideias sobre o caso.

K. não estava mais sentindo-se envergonhado, os documentos tinham de ser preparados e enviados. Caso, e isso era bem provável, ele não arranjasse tempo de fazer isso no escritório, teria de fazer tudo em casa, à noite. Se as noites não bastassem, teria de tirar férias. Acima de tudo, não podia parar no meio do caminho, isso não fazia sentido não somente nos negócios, mas sempre e em todo assunto. Não era preciso dizer que os documentos necessitariam de quantidades quase intermináveis de trabalho. Era fácil vir a acreditar, não somente para os de disposição ansiosa, que seria impossível terminar. Não se tratava de preguiça ou engano, que eram as duas únicas coisas que poderiam ter feito o advogado demorar-se no preparo, mas porque ele não sabia de que estava sendo acusado nem quais consequências isso poderia acarretar, de modo que tinha de se lembrar de cada pequenina ação e evento de toda a sua vida, olhá-los por todos os lados, checar e reconsiderá-los. Era também um trabalho muito desanimador. Teria sido mais adequado como um modo de passar logo os dias compridos quando fosse aposentado e quase senil. Mas agora, justamente quando K. precisava aplicar todos os seus pensamentos em seu trabalho, quando ainda estava em ascensão e já representava uma ameaça ao diretor assistente, quando cada hora passava tão rapidamente e ele queria aproveitar as noites breves e as madrugadas como jovem que era, justamente agora tinha de começar a elaborar esses documentos. Mais uma vez, começou a ficar entristecido. Quase involuntariamente, apenas para pôr fim na questão, procurou com o dedo o botão da campainha elétrica da antessala. Enquanto o apertava, olhou para o relógio. Eram onze da manhã, duas horas, passara boa parte de seu custoso tempo sonhando, e seus ânimos estavam, é claro, muito mais embotados do que haviam estado antes.

Mas o tempo não fora, contudo, desperdiçado, ele tomara algumas decisões que podiam ser de valor. Assim como diversas cartas, os funcionários trouxeram dois cartões de visita de cavalheiros que já tinham esperado por K. durante certo tempo. Eram, na verdade, clientes muito importantes do banco, que não deviam ter sido deixados esperando sob circunstância alguma. Por que tinham vindo em horário tão incomum e por que, parecia estar perguntando o cavalheiro do outro lado da porta fechada, estaria o industrioso K. gastando boa parte de seu horário de trabalho com suas questões pessoais? Cansado do que acontecera antes, e cansado com a antecedência do que estava por vir, K. levantou-se para receber o primeiro deles.

Era um homem baixo e jovial, um industrial que K. conhecia muito bem. Ele pediu desculpas por perturbar K. de alguma atividade importante e K., por sua vez, pediu desculpas por ter mantido o industrial esperando por tanto tempo. Mas mesmo esse pedido de desculpas foi falado de modo tão mecânico e com tão falsa entonação que o industrial certamente teria notado se não estivesse tão preocupado com seus negócios. Em vez disso, ele correu sacar cálculos e tabelas dos bolsos, espalhou-os em frente a K., explicou diversos itens, corrigiu um pequeno erro de aritmética que notara ao olhar rapidamente de relance por todo o esquema, e lembrou K. de um negócio similar que concluíra com ele cerca de um ano antes, mencionando de passagem que desta vez havia um grande banco despendendo grandes esforços para ficar com os negócios dele, e finalmente parou de falar para saber a opinião de K. sobre o assunto. E K. estivera, de fato, inicialmente, seguindo atentamente o que dizia o industrial, ele também tinha ciência de quão importante era o negócio, mas infelizmente isso não durou muito, logo ele parou de ouvir, assentiu para cada uma das exclamações mais altas do industrial por pouco tempo, mas acabou parando de fazer até isso e não fez mais nada além de olhar para a cabeça careca em cima dos papéis, perguntando-se quando o industrial finalmente perceberia que tudo o que falava era inútil. Quando o homem parou de falar, K. de fato achou, inicialmente, que ele o fizera apenas para que K. tivesse a chance de confessar que era incapaz de prestar atenção. Em vez disso, vendo a antecipação no rosto do industrial, obviamente pronto para contrapor quaisquer objeções feitas, ficou chateado ao entender que a discussão de negócios teria de continuar. Então, ele inclinou o rosto, como se alguém lhe tivesse ordenado, e começou a passar lentamente o lápis por sobre os papéis, vez por outra parando para analisar as figuras. O industrial achava que devia haver alguma objeção, talvez suas figuras não estivessem de todo corretas, talvez não fossem a questão decisiva, independentemente do que pensara, o industrial cobriu os papéis com a mão e recomeçou, aproximando-se mais de K., a explicar de que se tratava o negócio.

– É complicado – afirmou K., prensando os lábios.

A única coisa que lhe podia oferecer orientação eram os papéis, e o industrial os escondera de vista, então ele simplesmente afundou de volta sobre o braço da cadeira. Mesmo quando a porta da sala abriu-se e revelou não muito claramente, como se detrás de um véu, o diretor assistente, ele não fez nada além de lançar um olhar cansado para ele. K. não pensou mais na questão, apenas observou o efeito imediato da aparição do diretor assistente e, para ele, o efeito foi deveras prazeroso; o industrial imediatamente saltou da cadeira e correu a falar com o diretor assistente, embora K. teria gostado de vê-lo dez vezes mais animado, pois receava que o diretor assistente pudesse desaparecer mais uma vez. Não foi preciso preocupar-se, os dois cavalheiros encontraram-se, apertaram as mãos e foram juntos à mesa de K. O industrial comentou que achava uma pena encontrar o escriturário-chefe tão pouco inclinado a fazer negócios, apontando para K., que, ao ver o diretor assistente, tornara a debruçar-se sobre a papelada. Com os dois homens inclinados sobre a mesa e o industrial esforçando-se para ganhar e manter a atenção do diretor assistente, K. teve a sensação de que os dois eram muito maiores do que ele e que era ele o motivo das negociações. Lenta e cuidadosamente virando os olhos para cima, ele procurou entender o que acontecia acima dele, pegou um dos papéis da mesa sem olhar para ver o que era, pousou-o na palma da mão e o ergueu lentamente enquanto se levantava para o nível dos outros homens. Ele não tinha plano específico em mente ao fazer isso, mas apenas sentia que era assim que se comportaria caso tivesse terminado de preparar o grande documento que estava para remover seu fardo inteiramente. O diretor assistente estivera prestando atenção total à conversa e não fez mais que olhar para o papel, e não leu o que estava escrito, pois o que era importante para o escriturário-chefe não era importante para ele. Apenas tomou o papel da mão de K. e disse:

– Obrigado, já estou familiarizado com tudo.

E o pousou calmamente na mesa. K. olhou-o de lado com amargura. Mas o diretor assistente nem reparou, ou, se reparara, o gesto apenas lhe levantara o ânimo, costumava rir muito alto, em certo ponto deixou o industrial claramente envergonhado quando fez uma objeção mais espirituosa, mas tirou o homem do embaraço imediatamente fazendo um comentário contra si mesmo, e finalmente o convidou para sua sala, onde poderiam concluir o assunto.

– É um negócio muito importante – afirmou o industrial.

– Entendo isso completamente. Tenho certeza de que o escriturário-chefe – mesmo ao dizer isso o homem dirigia-se somente ao industrial – ficará muito contente de que cuidemos disso para ele. Trata-se de algo que demanda calma consideração. Mas ele parece estar atarefado demais hoje, tem até algumas pessoas lá fora que estão esperando lá faz horas por ele.

K. ainda tinha controle suficiente para desviar o rosto do diretor assistente e direcionar um sorriso amigável, embora tenso, apenas para o industrial, não fez outra retaliação, fez uma mesura curta e suportou-se com as duas mãos sobre a mesa, como um escriturário, e viu quando os dois cavalheiros, ainda conversando, pegaram os papéis da mesa e desapareceram na sala do gerente. Na porta, o industrial virou-se e comentou que ainda não ia despedir-se de K., que certamente voltaria para contar ao escriturário-chefe do sucesso da discussão, mas tinha também outra coisinha para falar-lhe.

Finalmente, K. ficou sozinho. Nem lhe passou pela cabeça deixar que outra pessoa entrasse em sua sala, e pensou apenas vagamente em como era bom que as pessoas lá fora achassem que ele ainda negociava com o industrial e, por esse motivo, não podia deixar que ninguém mais entrasse para vê-lo, nem mesmo seu assistente. Ele foi até a janela, sentou-se no parapeito ao lado, segurou firme no puxador e ficou olhando para a praça, lá fora. A neve continuava a cair, o clima ainda não tinha melhorado nem um pouco.

Passou um bom tempo sentado desse jeito, sem saber exatamente o que era que o deixava tão ansioso, apenas ocasionalmente olhava, um pouco alarmado, para a porta da antessala, de onde, num equívoco, pensara ter vindo algum barulho. Ninguém entrou, o que o fez sentir-se mais calmo. Ele foi até a pia, enxaguou o rosto com água fria e, com a cabeça um pouco mais clareada, retornou a seu posto junto à janela. A decisão de tomar sua defesa nas próprias mãos agora lhe parecia mais um fardo do que ele julgara que seria inicialmente. O tempo todo em que deixara a defesa por conta do advogado, o processo tivera muito pouco efeito sobre ele, que o observara de longe, como sendo algo dificilmente capaz de atingi-lo diretamente; quando lhe cabia ele ia ver como iam as coisas, mas era também capaz de trazer a mente de volta sempre que queria. Agora, ao contrário, se quisesse conduzir sua defesa por conta própria, teria de devotar-se inteiramente ao tribunal

– pelo menos por ora. O sucesso seria, mais tarde, sua liberação completa e conclusiva, mas, se ele quisesse mesmo essa conquista, teria de colocar-se, inicialmente, em perigo muito maior do que enfrentara até então. Se em algum momento se sentisse tentado a duvidar disso, então sua experiência com o diretor assistente e o industrial nesse dia seria bem suficiente para convencê-lo disso. Como podia ficar sentado ali, totalmente convencido da necessidade de fazer ele mesmo sua defesa? Como seria depois? Como seria sua vida nos dias que viriam? Conseguiria encontrar o caminho para uma conclusão feliz? Uma defesa cuidadosamente elaborada – e qualquer outro tipo de defesa não teria sentido algum – não dependeria de que ele se abstivesse de tudo mais, o máximo que pudesse? Sobreviveria a isso? E como conseguiria fazer tudo isso com o banco? A questão envolvia muito mais do que apenas enviar uns documentos que ele poderia provavelmente preparar em poucos dias, embora seria bem preocupante pedir para afastar-se do banco por um tempo justamente nessa época, era todo um processo e não havia como prever até quando duraria. Era uma dificuldade imensa que subitamente jogaram em cima da vida de K.!

E ainda esperavam que ele cumprisse com suas atividades no banco numa hora dessas? Ele olhou para a mesa. Esperavam que ele deixasse entrar gente para vê-lo e entrar em negociações com eles num momento como esse? Enquanto seu processo se desenrolava, enquanto os funcionários do tribunal, no sótão, analisavam a papelada do processo, esperavam que ele se preocupasse com os assuntos do banco? Parecia até uma espécie de tortura, reconhecida pela corte, conectada ao processo, que o seguia para todo canto. E por acaso podia esperar que alguém do banco, quando fosse avaliar o trabalho dele, levaria em consideração sua peculiar situação? Ninguém, jamais. Havia aqueles que sabiam do processo, embora nunca ficasse claro quem sabia e até que ponto. Contudo, ele torcia para que os rumores não tivessem alcançado o diretor assistente, do contrário ele logo daria um jeito de usar a situação para prejudicar K., não demonstraria camaradagem nem humanidade. E quanto ao diretor? Era verdade que tinha bons olhos para com K., e assim que ouvisse falar do processo ele provavelmente tentaria fazer tudo que pudesse para facilitar as coisas, mas certamente não se devotaria inteiramente a isso. K. conseguira criar o contrapeso para o que o diretor assistente dizia, mas o diretor vinha se mostrando cada vez mais influenciado pelo assistente, e ele certamente exploraria a condição enfraquecida do diretor para fortalecer o próprio poder. Quais eram as esperanças para K., então? Considerações desse tipo talvez enfraquecessem seu poder de resistência, mas mesmo assim era preciso não se enganar e enxergar tudo o mais claramente possível nesse momento.

Por nenhum motivo especial, apenas para evitar voltar à mesa por um tempo, K. abriu a janela. Foi difícil abrir; ele teve de virar o puxador com as duas mãos. Então, com toda a altura e largura da janela, uma mistura de neblina e fumaça foi atraída para dentro da sala, preenchendo-a com um cheiro fraco de queimado. Alguns flocos de neve foram soprados juntos para dentro.

– Que outono mais horroroso – comentou o industrial, que tinha entrado na sala sem ser notado, após ter com o diretor assistente, e agora estava parado atrás de K.

Ele fez que concordava e olhou inquieto para a maleta do industrial, da qual ele provavelmente tiraria de novo a papelada para informar K. sobre o resultado das negociações com o diretor assistente. Contudo, o industrial viu para onde K. olhava, deu um tapinha na maleta e, sem abri-la, disse:

– Vai querer saber como ficaram as coisas. Já estou com o contrato no bolso, quase. Ele é um homem simpático, o diretor assistente... mas tem seus meandros.

O homem riu, apertando a mão de K., querendo fazê-lo rir também. Mas para K. foi mais uma vez suspeito o industrial não querer mostrar-lhe os papéis, e não viu nada no comentário para achar graça.

– Escriturário-chefe, imagino que o clima esteja afetando o seu humor, é isso? – perguntou o industrial. – Parece tão preocupado hoje.

– Sim – respondeu K., erguendo a mão e tocando a têmpora –, problemas, preocupações com a família.

– Entendo bem – continuou o industrial, que estava sempre com pressa e nunca podia passar muito tempo dando atenção aos outros –, todos têm uma cruz a carregar.

K. dera um passo inconsciente na direção da porta, como se quisesse acompanhar o industrial para fora, mas ele apenas disse:

– Escriturário-chefe, há outra coisa que queria mencionar com você. Sinto muito se será um fardo a mais, justo hoje, mas já vim vê-lo duas vezes e, nas duas, esqueci completamente. Se eu demorar ainda mais, a questão vai perder de todo a serventia. E isso seria uma pena, pois creio que o que tenho a dizer tem certo valor.

Antes que K. tivesse tempo de responder, o industrial aproximou-se, deu com os nós dos dedos de leve no peito do outro e disse, bem baixinho:

– Você está com um processo em andamento, certo?

K. recuou um passo e rapidamente exclamou:

– Foi disso que ficou conversando com o diretor assistente!

– Não, não – negou o industrial –, como é que o diretor assistente ia saber disso?

– E como o senhor sabe? – perguntou K., um pouco mais controlado.

– Ouço coisas da corte aqui e ali – respondeu o industrial –, e isso se aplica àquilo sobre o que queria falar com você.

– Como tem gente com conexões com a corte! – exclamou K., de cabeça baixa, e levou o industrial até a mesa.

Os dois se sentaram onde haviam estado antes e o industrial prosseguiu:

– Receio não ter tanto que lhe falar. Só que, nessas questões, é melhor não negligenciar os menores detalhes. Além disso, eu queria muito ajudá-lo, por mais modesta que venha a ser a minha ajuda. Temos sido bons parceiros de negócios até hoje, não? Então...

K. quis desculpar-se por seu comportamento na conversa de mais cedo, mas o industrial não tolerava interrupção e meteu a maleta debaixo do braço para mostrar que estava com pressa, prosseguindo.

– Fiquei sabendo do seu caso por uma pessoa de nome Titorelli. Ele é pintor. Titorelli é somente o nome artístico dele, eu nem sei qual é o nome verdadeiro. Ele tem vindo ao meu escritório faz anos, de vez em quando, e traz uns quadrinhos consigo que eu compro mais ou menos só por caridade, já que ele quase não passa de um pedinte. E são quadros bonitos, também, paisagens verdejantes, esse tipo de coisa. Acabamos nos acostumando a fazer negócios dessa maneira, e foi tudo sempre muito tranquilo. Só que teve um tempo em que essas visitas ficaram um pouco frequentes demais, comecei a reclamar disso, começamos a conversar e fiquei interessado em saber como era que ele ganhava a vida só com a pintura, e então descobri, para a minha surpresa, que a principal fonte de renda dele era a pintura de retratos. "Eu trabalho para o tribunal", ele comentou. "Que tribunal?", perguntei. E foi quando ele me contou sobre o tribunal. Com certeza, pode imaginar a minha surpresa em saber de tudo isso. Desde então, sempre ouço alguma coisa sobre o tribunal toda vez que ele vem me ver, e então aos poucos começo a entender como é que tudo funciona lá. Enfim, Titorelli fala demais, e em geral preciso mandá-lo embora, não apenas porque ele tende a mentir, mas também, principalmente, porque um homem de negócios como eu, que já está à beira do colapso sob o peso dos próprios assuntos, não pode prestar muita atenção aos assuntos dos outros. Mas nada disso vem ao caso. Talvez, e é nisso que venho pensando, pode ser que Titorelli possa ajudá-lo de algum jeito, ele conhece vários juízes, e mesmo que não tenha lá muita influência, ele pode dar-lhe algum conselho sobre como trazer gente influente para o seu lado. E mesmo que esses conselhos acabem não fazendo diferença, ainda acho que seria muito importante obtê-los. Você é praticamente um advogado. Isso é o que eu sempre digo, Sr. K., o escriturário-chefe é praticamente um advogado. Oh, tenho certeza de que esse seu processo vai acabar bem. Então, quer ir ver Titorelli? Se eu pedir, ele certamente fará tudo o que puder. Eu realmente acho que deveria ir. Não precisa ser hoje, claro, mas algum dia, quando tiver oportunidade. E, enfim, queria dizer outra coisa: você não tem que de fato ir ver Titorelli, esse meu conselho não o coloca sob obrigação nenhuma. Não, se achar que pode seguir sem Titorelli, certamente será melhor deixá-lo completamente de fora. Talvez já tenha uma noção muito clara do que está fazendo e Titorelli venha somente atrapalhar os seus planos. Não, se for esse o caso, então claro que não deve ir, sob circunstância nenhuma! E certamente não será fácil aceitar os conselhos de um cara como ele. Enfim, está em suas mãos. Aqui está uma carta de recomendação e também o endereço.

Decepcionado, K. pegou a carta e colocou-a no bolso. Na melhor das hipóteses, a vantagem que poderia derivar dessa recomendação era incomparavelmente menor do que o dano que jazia no fato de que o industrial sabia do processo e que o pintor estava espalhando a notícia. Foi muito difícil para ele dirigir ao industrial, que já estava a caminho da porta, umas poucas palavras de agradecimento.

– Irei vê-lo – falou, despedindo-se do industrial à porta –, ou, como estou muito ocupado no momento, escreverei; quem sabe ele não aceita vir até a minha sala qualquer dia.

– Eu sabia que você encontraria a melhor solução – comentou o industrial. – Embora achasse que preferiria evitar convidar gente como Titorelli ao banco e falar sobre o processo aqui. E nem sempre é uma boa ideia enviar cartas a pessoas como Titorelli, nunca se sabe o que será delas. Mas, certamente, você pensou em tudo já e sabe o que deve ou não deve fazer.

K. assentiu e acompanhou o industrial até a antessala. Contudo, apesar de parecer calmo lá fora, estava na verdade muito chocado; dissera ao industrial que pretendia escrever para Titorelli apenas para demonstrar, de algum modo, que valorizava a recomendação e consideraria a oportunidade de falar com Titorelli sem demora, mas, se achasse que Titorelli poderia oferecer qualquer assistência válida, não se demoraria. Mas foi somente o comentário do industrial que fez K. compreender os possíveis perigos que podia vir a enfrentar. Não podia mesmo confiar muito no próprio entendimento? Se havia a possibilidade de convidar um sujeito questionável ao banco com uma carta clara e pedir conselho com relação ao processo, separado do diretor assistente por nada além de uma porta, não seria possível ou até muito provável que houvesse outros perigos que ele falhara em enxergar ou talvez até para os quais estivesse se encaminhando? Nem sempre havia alguém ao lado dele para avisar. E justo agora, justo quando teria de agir com toda a força que pudesse reunir, agora uma série de dúvidas de um tipo que ele jamais tivera apresentavam-se e afetavam a vigilância dele! A dificuldade que vinha tendo em conduzir o trabalho no escritório agora passaria a afetar também o processo? K. flagrou-se incapaz de entender como pretendera escrever para Titorelli e convidá-lo ao banco.

Ele sacudiu a cabeça ao pensar nisso mais uma vez, quando seu assistente chegou por trás e chamou-lhe a atenção para os três cavalheiros que aguardavam sentados num banco na antessala. Já tinham esperado K. por um bom tempo. Enquanto o assistente falava com K., eles se levantaram e cada um quis aproveitar a oportunidade de falar com ele antes dos demais. Fora negligência da parte do banco deixá-los ali perdendo tempo na sala de espera, mas nenhum deles quis chamar atenção para isso.

– Sr. K. – chamou um deles, mas K. pedira ao assistente que fosse buscar seu casaco e falou aos três, enquanto o assistente o ajudava a vesti-lo:

– Por favor, perdoem-me, cavalheiros. Infelizmente, não tenho tempo para recebê-los no momento. Por favor, perdoem-me, mas tenho um assunto urgente para resolver e tenho que partir imediatamente. Os senhores já viram quanto estou atrasado. Poderiam fazer a gentileza de voltar amanhã ou outro dia? Ou quem sabe poderíamos resolver essas questões por telefone? Ou talvez gostariam de falar agora, brevemente, do que se trata, e posso dar uma resposta completa por escrito. Enfim, o melhor mesmo seria que voltassem outro dia.

Os cavalheiros viram, então, que sua espera fora totalmente em vão, e as sugestões de K. os deixaram tão espantados que eles somente se entreolharam, sem dizer nada.

– Combinado, então? – perguntou K., que tinha se virado para o assistente, que lhe trazia o chapéu.

Pela porta aberta da sala de K., era possível ver que a nevasca lá fora tornara-se muito mais intensa. Então K. ergueu a gola do casaco e o abotoou até debaixo do queixo. Foi quando o diretor assistente saiu da sala adjacente, sorriu quando viu K. negociando com os cavalheiros metido no casaco, e perguntou:

– Vai a algum lugar?

– Sim – respondeu K., endireitando-se. – Tenho que resolver um problema.

Contudo, o diretor assistente já se tinha voltado para os cavalheiros.

– E quanto a esses cavalheiros? – perguntou. – Creio que estão esperando faz um bom tempo.

– Já chegamos a um acordo – informou K.

Porém, os cavalheiros não mais puderam ser contidos, eles cercaram K. e explicaram que não teriam esperado por horas se não fosse para falar sobre algo importante que tinham de discutir imediatamente, com tempo e em particular. O diretor assistente escutou-os por um tempo, olhando também para K., que tinha o chapéu na mão e ficou limpando dele a poeira aqui e ali, e então perguntou:

– Cavalheiros, há um modo muito simples de resolvermos isso. Se preferirem, ficarei contente de assumir essas negociações no lugar do escriturário-chefe. Seus negócios devem, obviamente, ser discutidos sem mais atraso. Somos homens de negócios como vocês e sabemos o valor do tempo de um executivo. Gostariam de me acompanhar?

Dizendo isso, abriu a porta que levava à antessala de seu escritório.

O diretor assistente parecia muito habilidoso em apropriar-se de tudo de que K. andava sendo forçado a abrir mão! Mas K. não estava abrindo mão apenas do absolutamente necessário? Ao sair às pressas para encontrar um pintor desconhecido com, como ele mesmo tinha de admitir, muito pouca esperança de obter qualquer benefício, seu renome sofria prejuízos que não poderiam ser reparados. Seria provavelmente muito melhor tirar o casaco e, no mínimo, tentar ganhar de volta os dois cavalheiros que certamente ainda estariam esperando na sala seguinte. Se K. não tivesse visto de relance o diretor assistente em sua sala, procurando por algo nas estantes de livros, como se lhe pertencessem, teria provavelmente feito essa tentativa. Conforme K., um tanto agitado, aproximou-se da porta, o diretor assistente disse:

– Ah, ainda não saiu! – Ele virou o rosto para K., com as muitas dobras demonstrando mais força do que raiva, e imediatamente retomou a busca. – Estou procurando uma cópia de um contrato – comentou – que esse cavalheiro insiste que você possui. Poderia me ajudar a procurar?

K. deu um passo à frente, mas o diretor assistente agradeceu e disse ter encontrado, e com um grande pacote de papéis, que certamente deviam incluir muito mais documentos do que a cópia do contrato, virou-se e retornou à sala dele.

"Não posso lidar com ele agora". K. pensou, "mas, assim que minhas dificuldades pessoais forem resolvidas, ele certamente será o primeiro a sentir os efeitos, e certamente não vai gostar nem um pouco".

Ligeiramente tranquilizado por esses pensamentos, K. passou ao assistente, que estivera segurando a porta do corredor para ele fazia um bom tempo, a tarefa de dizer ao diretor, quando pudesse, que K. estava saindo do banco para resolver um assunto. Ao deixar o banco, sentiu-se quase feliz ao pensar que poderia devotar-se mais a seus próprios assuntos por um tempo.

Ele foi direto ver o pintor, que morava numa porção periférica da cidade, muito próxima dos escritórios do tribunal, embora fosse uma área ainda mais pobre, com casas mais escuras, ruas cheias de sujeira que eram lentamente sopradas sobre a neve semiderretida. No grande portal do prédio no qual morava o pintor, somente uma das portas estava aberta, um buraco fora feito na parede da outra porta, e quando K. aproximou-se, um líquido repulsivo, amarelo e fumegante jorrou dali, fazendo um bando de ratos escafeder-se daquele lugar para o canal mais próximo. No começo da escadaria havia uma criancinha deitada de bruços, chorando, mas mal podia ser ouvida por causa do barulho de uma serralheria do outro lado da entrada, que encobria qualquer outro som. A porta da serralheria estava aberta, três serralheiros circundavam alguma peça em que batiam com martelos. Uma grande chapa de lata pendurada na parede projetava uma luz pálida que abria caminho entre dois dos serralheiros, iluminando seus rostos e seus aventais. K. nada fez além de olhar para todas essas coisas, queria concluir o que viera fazer ali assim que possível, trocar algumas palavras para descobrir como seriam as coisas com o pintor e voltar direto para o banco. Ainda que tivesse muito pouco sucesso ali, isso teria, mesmo assim, um bom efeito em seu dia de trabalho no banco. No terceiro andar teve de diminuir o passo, tinha ficado bem sem ar – os degraus, tanto quanto a altura de cada andar, eram muito mais altos do que precisavam ser, e disseram-lhe que o pintor morava no sótão. O ar era também bastante opressor, não havia uma escadaria adequada, e os estreitos degraus eram cercados por paredes dos dois lados, com nada além de uma janelinha alta aqui e ali. Assim que K. fez uma pausa, umas meninas saíram correndo de um dos apartamentos e subiram às pressas as escadas, rindo. K. seguiu-as lentamente, alcançou uma das meninas, que tropeçara e fora deixada para trás pelas outras, e perguntou-lhe, conforme andavam lado a lado:

– Tem um pintor chamado Titorelli que mora aqui?

A menina, de uns treze anos e meio corcunda, meteu-lhe o cotovelo e olhou de rabo de olho. A juventude e o defeito físico pouco impediram que agisse de modo tão depravado. Ela não sorriu uma vez sequer, mas fitou K. honestamente, com olhos afiados e aquisitivos. K. fingiu não notar o comportamento e perguntou:

– Conhece Titorelli, o pintor?

Ela assentiu e devolveu uma pergunta:

– Pra que quer falar com ele?

K. achou que seria vantajoso descobrir ali mesmo algo a mais sobre Titorelli.

– Quero que pinte o meu retrato – respondeu.

– Pintar seu retrato? – ela perguntou, abrindo demais a boca e acertando K. de leve com a mão, como se ele tivesse dito algo extraordinariamente surpreendente ou desajeitado, e com as duas mãos ergueu a saia, que já era bem curta, e, o mais rápido que pôde, saiu correndo atrás das outras meninas, cujos indistintos gritos perdiam-se nas alturas.

No lance seguinte de escadas, contudo, K. encontrou as meninas mais uma vez. A corcundinha já tinha contado às outras as intenções de K., e estavam esperando por ele. Alinhavam-se dos dois lados da escada, prensadas contra a parede, de modo que K. pudesse passar pelo meio, e alisavam os aventais com as mãos. Os rostos de todas, mesmo nessa posição de honra, mostravam uma mistura de criancice e depravação. No primeiro lugar da fila de meninas, que agora, rindo, começavam a fechar-se num círculo em volta de K., estava a corcunda, que assumira o papel de líder. Foi graças a ela que K. encontrou a direção certa sem mais demora – teria continuado a subir as escadas à frente, mas ela mostrou que para chegar até Titorelli ele precisaria pegar outro caminho. A escadaria que levava ao pintor era especialmente estreita, muito comprida e sem curvas, toda a sua extensão podia ser vista numa olhada, e, no topo, à porta fechada de Titorelli, ela chegava ao fim. Essa porta era muito mais bem iluminada do que o restante da escadaria pela luz de uma pequena claraboia instalada obliquamente acima, montada com tábuas de madeira sem pintar, e o nome "Titorelli" fora pintado ali com pinceladas grossas de tinta vermelha. K. estava a meio caminho da subida, acompanhado pela comitiva de meninas, quando, obviamente em virtude do barulho dos passos, a porta abriu um pouquinho, e na fresta um homem que parecia estar vestido apenas de pijama apareceu.

– Oh! – ele exclamou quando viu a multidão que se aproximava, e desapareceu.

A menina corcunda bateu palmas de alegria, e as outras meninas reuniram-se atrás de K. para empurrá-lo ainda mais rápido.

Ainda não tinham chegado ao topo, contudo, quando o pintor acima subitamente abriu totalmente a porta e, com uma longa reverência, convidou K. a entrar. As meninas, por outro lado, ele tentou manter longe, não queria deixar que nenhuma entrasse, não importava quanto imploravam e quanto tentavam entrar – já que não podiam entrar com a permissão dele, tentariam abrir caminho à força, contra a vontade dele. A única que conseguiu foi a corcunda, quando deslizou por debaixo do braço esticado dele, mas o pintor correu atrás dela, agarrou-a pela saia, girou-a uma única vez e a levou lá para baixo com as outras meninas, que, ao contrário da primeira, não ousaram cruzar o batente quando o pintor deixara o posto. K. não sabia o que pensar de tudo isso, enquanto as meninas todas pareciam divertir-se muito. Uma atrás da outra, as meninas paradas na porta esticavam os pescoços e gritavam diversas palavras ao pintor com a intenção de mexer com ele, mas as quais K. não compreendia, e até o pintor riu ao ver a corcunda girando sob a sua mão. Depois fechou a porta, fez mais uma reverência para K., estendeu-lhe a mão e apresentou-se, dizendo:

– Titorelli, pintor.

K. apontou para a porta, atrás da qual as meninas sussurravam, e disse:

– Pelo visto, é bem famoso no prédio.

– Ah, essas pirralhas! – exclamou o pintor, tentando em vão abotoar o pijama na altura do pescoço.

Estava descalço, também; além disso, não usava nada além de uma larga calça de linho amarelo presa por um cinto cuja ponta livre chicoteava para lá e para cá.

– Essas crianças são um verdadeiro fardo para mim – continuou.

O primeiro botão da camisa abriu, e ele desistiu de tentar abotoá-lo, pegou uma cadeira para K. e pediu que se sentasse.
— Eu pintei uma delas certa vez, não está aqui hoje, e desde então elas vêm me seguindo. Se estou aqui, só entram quando permito, mas assim que saio tem sempre pelo menos uma delas aqui dentro. Fizeram uma chave para abrir a minha porta e ficam emprestando entre si. É difícil imaginar como isso incomoda. Supondo que volto para casa com uma dama que vou pintar, abro a porta com a minha chave e encontro a corcunda ali, à mesa, pintando os lábios de vermelho com meu pincel, enquanto as irmãzinhas tomam conta por ela, zanzando e causando caos em cada canto da sala. Ou então, como aconteceu ontem, posso chegar tarde da noite, inclusive perdoe a minha aparência, e a sala estar uma baderna, tem a ver com elas; então, posso chegar tarde da noite e querer ir direto para a cama, mas sinto alguma coisa pinicando a minha perna, olho debaixo da cama e puxo mais uma delas dali. Não sei por que me perturbam desse jeito, creio que viu que não faço nada para encorajá-las a chegar perto de mim. E elas me dificultam o trabalho, também, claro. Se não tivesse ganhado este estúdio de graça, já teria me mudado há muito tempo.

Nesse momento uma vozinha, terna e ansiosa, chamou de debaixo da porta:

— Titorelli, podemos entrar agora?

— Não — respondeu o pintor.

— Nem mesmo eu, sozinha? — tornou a pedir a voz.

— Nem mesmo você — respondeu o pintor, indo até a porta para trancá-la.

Enquanto isso, K. estivera observando o cômodo, se não lhe tivesse sido apontado, jamais lhe teria ocorrido que a miserável salinha podia ser chamada de estúdio. Quase não tinha comprimento nem largura para que se dessem dois passos. Tudo, piso, paredes e teto, era feito de madeira, e entre as tábuas podia-se ver fendas estreitas. Do lado oposto de onde K. se sentara, havia uma cama encostada na parede sob uma coberta de diversas cores. No meio da sala, havia um quadro num cavalete, coberto com uma camisa cujos braços pendiam no chão. Atrás de K. estava a janela, pela qual a neblina tornava impossível enxergar além do telhado coberto de neve do prédio vizinho.

O girar da chave na fechadura lembrou K. de que ele não queria demorar-se demais. Então, ele sacou a carta do industrial do bolso, estendeu-a ao pintor e disse:

– Ouvi falar de você com esse cavalheiro, um conhecido seu, e foi por conselho dele que vim.

O pintor deu uma olhada na carta e a jogou na cama. Se o industrial não tivesse deixado bem claro que Titorelli era conhecido dele, um homem pobre que dependia de sua caridade, teria sido bem possível acreditar que Titorelli não o conhecia ou pelo menos não se lembrava dele. A impressão foi intensificada pela pergunta que o pintor fez em seguida.

– Você gostaria de comprar um quadro ou quer que eu pinte um retrato seu?

K. encarou o pintor com espanto. Que dizia a carta, então? K. supusera que o industrial explicara ao pintor, na carta, que K. não queria nada mais além de descobrir algo sobre seu processo. Tinha sido precipitado demais em ir até ali! Mas agora tinha de dar ao pintor alguma resposta e, olhando para o cavalete, disse:

– Está trabalhando num quadro atualmente?

– Sim – respondeu o pintor, e tirou a camisa pendurada sobre o cavalete, que jogou na cama, em cima da carta. – É um retrato. Um trabalho muito dos bons, embora ainda falte terminar.

A coincidência foi bastante conveniente a K., que teve a ótima oportunidade de falar sobre o tribunal, pois que o quadro mostrava, muito claramente, um juiz. Além disso, era incrivelmente similar ao quadro do escritório do advogado, embora esse mostrasse um juiz bem diferente, homem pesado de barba cheia, preta, densa e estendida para os lados, até as bochechas dele. O quadro do advogado também fora pintado a óleo, enquanto esse fora feito com cores pastel e era pálido e obscuro. Porém, tudo mais no quadro era similar, pois que esse juiz também segurava firme no braço do trono e parecia ominosamente prestes a saltar dele. Inicialmente, K. quis dizer que certamente se tratava de um juiz, mas conteve-se por ora e chegou mais perto do quadro, como se o quisesse estudar em detalhe. Havia uma figura grande retratada no centro do descanso do trono, a qual K. não entendia, então perguntou ao pintor sobre ela. Seria preciso trabalhar mais um pouco nela, dissera-lhe o pintor, que pegou um giz de cera de uma mesinha e acrescentou alguns toques nas pontas da figura, mas sem torná-la mais clara, pelo menos por aquilo que K. enxergava.

– É o símbolo da justiça – afirmou o pintor, finalmente.

– Agora entendi – comentou K. – Aqui está a venda e, aqui, a balança. Mas não são asas que ela tem nos calcanhares? E parece estar se movendo.

– Sim – respondeu o pintor –, tive de pintá-la assim, de acordo com o contrato. Na verdade, é o símbolo da justiça e a deusa da vitória juntas.

– Não é uma boa combinação – afirmou K., com um sorriso. – A justiça precisa ficar parada, do contrário a balança vai pender para os lados e não será possível dar um veredicto justo.

— Só estou fazendo o que o cliente quer — continuou o pintor.

— Claro, certamente — concordou K., que não pretendera criticar ninguém com o comentário. — Você pintou a figura como ela realmente aparece no trono.

— Não — negou o pintor. — Nunca vi essa figura, nem esse trono. É tudo invenção, mas me disseram o que eu tinha de pintar.

— Como assim? — perguntou K., fingindo não entender direito o que o pintor dissera. — É um juiz sentado na cadeira do juiz, não?

— Sim — respondeu o pintor —, mas esse juiz não é superior e nunca se sentou num trono como esse.

— E pediu que fosse pintado em tão grandiosa pose? Está sentado ali como se fosse o presidente da corte.

— É, cavalheiros como esse são muito vaidosos — comentou o pintor. — Mas eles têm permissão do alto para serem pintados assim. É especificado de modo bem estrito que tipo de retrato cada um deles pode ter para si. É só uma pena que não dá para enxergar os detalhes da roupa e da pose nesse quadro, tons pastel não são muito adequados para mostrar pessoas assim.

— Sim — concordou K. —, achei estranho mesmo ser pintado em tons pastel.

— Era isso que o juiz queria — afirmou o pintor. — O quadro é para uma mulher.

Ver o quadro pareceu fazer o pintor ter vontade de trabalhar. Ele puxou as mangas da camisa, pegou alguns dos gizes de cera, e K. viu quando uma sombra avermelhada apareceu ao redor da cabeça do juiz, sob pontas bruxuleantes, e irradiou-se para as beiradas do quadro. Essa sombra foi brincando e lentamente cercou a cabeça como uma decoração ou sublime distinção. Mas em torno da figura da justiça, apesar de um pouco de cor, quase não se notava, continuava leve, e com esse brilho todo a figura pareceu brilhar à frente, de modo que agora não se parecia nem com a deusa da justiça nem com a deusa da vitória, mas uma representação perfeita da deusa da caça. K. achou o trabalho do pintor mais cativante do que queria, mas finalmente se repreendeu por demorar-se tanto sem ter feito nada de relevante para seu problema.

– Qual é o nome desse juiz? – perguntou subitamente.

– Não posso dizer isso – respondeu o pintor. Estava muito debruçado sobre o quadro, claramente negligenciando o convidado que recebera antes com tanto cuidado. K. considerou o gesto apenas como um ponto fraco do pintor, algo que o irritou, visto que o fazia perder tempo.

– Pelo visto, confiam muito na sua pessoa na corte – disse.

O pintor baixou imediatamente o giz, endireitou-se, esfregou as mãos e olhou para K. com um sorriso.

– Sempre seja direto com a verdade – disse. – Você quer descobrir algo sobre a corte, como diz na sua carta de recomendação, mas começou falando sobre meus quadros para me trazer para o seu lado. Mas não vou ficar ressentido com você; não tinha como saber que essa era a coisa mais errada para tentar comigo. Ora, por favor! – exclamou ele, seco, repelindo a tentativa de K. de fazer alguma objeção. E continuou: – Além disso, está correto no comentário quanto a confiarem muito em mim na corte.

O pintor fez uma pausa, como se quisesse dar a K. o tempo para acostumar-se ao fato. As meninas puderam mais uma vez ser ouvidas detrás da porta. Deviam estar prensadas em torno do buraco da fechadura, talvez até pudessem enxergar o interior da sala pelas frestas entre as tábuas. K. renunciou a oportunidade de pedir desculpas de algum modo, por não querer distrair o pintor do que ele dizia, ou talvez não quisesse que o homem se sentisse superior demais e desse modo se considerasse inacessível demais, então perguntou:

– Essa sua posição é conhecida publicamente?

– Não – foi a resposta curta do pintor, como se a pergunta o impedisse de dizer algo a mais.

Mas K. queria que ele continuasse falando, então insistiu:

– Bom, posições como essa, que não são reconhecidas oficialmente, em geral podem exercer mais influência do que as outras.

– E é assim mesmo comigo – concordou o pintor, de cenho franzido. – Eu estava falando sobre o seu caso com o industrial ontem, e ele me perguntou se eu não gostaria de ajudá-lo, e eu respondi: "Ele pode vir me ver, se quiser", e agora estou feliz de vê-lo aqui tão cedo. Esse assunto parece ser muito importante para você e, claro, não é de surpreender. Não gostaria de tirar o casaco agora?

K. pretendera ficar apenas um pouco, mas o convite do pintor foi, não obstante, muito bem-vindo. O ar no ambiente, aos poucos, ficara muito opressor para ele, que olhara diversas vezes, admirado, para um forninho de ferro no canto que certamente não podia ter sido aceso, deixando sem explicação o calor do quarto. Enquanto K. tirava o casaco e desabotoava a jaqueta de baixo, o pintor comentou, em forma de desculpa:

– Preciso de calor. E é muito aconchegante aqui, não? Este quarto é muito bom, nesse quesito.

K. não respondeu, mas não era exatamente o calor que o incomodava, mas, muito mais, estar abafado, o ar que ia ficando cada vez mais difícil de respirar, o quarto, provavelmente, não era ventilado há muito tempo. Tudo ficou ainda mais desagradável para K. quando o pintor o convidou a sentar-se na cama, enquanto ele mesmo se sentava na única cadeira do quarto, em frente ao cavalete. O pintor pareceu até não entender quando viu K. sentar-se na beirada da cama, e convidou-o a ficar à vontade, e, posto que ele hesitava, foi até a cama e prensou K., afundando-o entre a roupa de cama e os travesseiros. Então, retornou à cadeira e, finalmente, realizou a primeira pergunta objetiva, que fez K. esquecer-se de tudo mais.

– Você é inocente, certo?

– Sim – respondeu K.

Sentiu uma alegria simples ao responder a essa pergunta, principalmente posto que a resposta fora dada a uma única pessoa e, portanto, não teria consequência alguma. Até então, ninguém lhe fizera essa pergunta tão abertamente. Para incrementar ainda mais seu prazer, ele acrescentou:

– Sou totalmente inocente.

– Então... – disse o pintor, e baixou a cabeça, parecendo que pensava. Subitamente, ele a ergueu e disse: – Bom, se você é inocente, é tudo muito simples.

K. começou a abrir uma carranca. Esse suposto amigo da corte falava como uma criança ignorante.

– Eu ser inocente não torna nada muito simples – argumentou K. Apesar de tudo, não pôde evitar sorrir, lentamente balançando a cabeça. – Tem muitos detalhes menores, nos quais a corte se perde, mas no final acaba alcançando algum ponto no qual originalmente não havia nada e arranca de lá enorme culpa.

– É, é, claro – concordou o pintor, como se K. perturbasse sua linha de raciocínio sem ter motivo para isso. – Mas é inocente, certo?

– Ora, claro que sou – afirmou K.

– Isso é o principal – observou o pintor.

Não havia contra-argumento que pudesse influenciá-lo, mas, embora ele tivesse a cabeça feita, não estava claro se falava desse jeito por convicção ou indiferença. K. quis descobrir, então continuou:

— Com certeza, você tem mais familiaridade com o tribunal do que eu, que sei pouco mais do que o que ouvi falar, e ouvi coisas de muita gente diferente. Mas todos concordam em uma coisa: que, quando acusações maldosas são feitas, elas não são ignoradas, e que, uma vez que a corte fez uma acusação, está convencida da culpa do acusado, e fica muito difícil fazer com que pense de outro modo.

— Muito difícil? – perguntou o pintor, jogando uma mão no ar. – É impossível fazer com que pense de outro jeito. Se eu pintasse todos os juízes um ao lado do outro aqui no cavalete, e você tentasse defender-se em frente a eles, teria mais sucesso com esses do que poderia ter com a corte de verdade.

— Sim – concordou K., esquecendo-se que fora até ali apenas para investigar o pintor.

Uma das meninas detrás da porta começou a falar novamente, e perguntou:

— Titorelli, ele vai embora logo?

— Calada! – gritou o pintor voltado para a porta. – Não está vendo que estou conversando com o cavalheiro?

Mas isso não bastou para satisfazer a garota, que perguntou:

— Vai pintar o retrato dele? – E, quando o pintor não respondeu, ela acrescentou: – Por favor, não pinte, é um sujeito horroroso.

A isso seguiu um incompreensível entrelaçar de balbucios e gritos e respostas e opiniões em concordância. O pintor saltou para a porta, abriu-a um pouquinho – as mãos unidas das meninas apareceram na fenda, como se elas quisessem alguma coisa – e disse:

– Se não ficarem caladas, vou jogar todas escada abaixo. Sentem-se nos degraus e fiquem quietinhas. – Elas, provavelmente, não lhe obedeceram imediatamente; então ele teve de ordenar: – Para os degraus!

Só então elas ficaram quietas.

– Desculpe por isso – disse o pintor ao retornar para K.

K. mal virara para a porta, deixara totalmente a cargo do pintor se ele o colocaria sob sua proteção ou como, se quisesse. Mesmo agora, quase não se mexeu quando o pintor debruçou-se sobre ele e, sussurrando em seu ouvido para não ser ouvido do lado de fora, disse:

– Essas meninas também pertencem à corte.

– Como assim? – perguntou K., inclinando a cabeça de lado para olhar para o pintor.

Contudo, ele se sentou de volta na cadeira e, meio de brincadeira, meio de explicação, disse:

– Bom, tudo pertence à corte.

– Está aí algo em que eu nunca tinha reparado – K. comentou, cordialmente, pois esse comentário geral do pintor fizera do comentário anterior, sobre as meninas, muito menos perturbador.

Não obstante, K. ficou olhando um pouco para a porta, na qual as meninas agora se sentavam, comportadas, na escadaria. A não ser por uma delas, que passara um canudinho por uma rachadura entre as tábuas e o movia para cima e para baixo.

– Você parece ainda não ter muita noção de como é a corte – falou o pintor, que esticara muito as pernas, bem abertas, e batia ruidosamente no piso com a ponta de um dos pés. – Mas, como é inocente, não vai precisar, mesmo assim. Vou tirá-lo dessa eu mesmo.

– Como pretende fazer isso? – perguntou K. – Você mesmo comentou, há pouco, que é impossível abordar a corte com motivos e provas.

– Somente impossível com motivos e provas que você mesmo leva – respondeu o pintor, erguendo o dedo indicador, como se K. tivesse falhado em notar uma delicada distinção. – É diferente quando se tenta fazer alguma coisa por trás da corte pública, ou seja, nas salas de consulta, nos corredores ou aqui, por exemplo, no meu estúdio.

K. começou a achar mais fácil acreditar no que dizia o pintor, pois estava em total acordo com o que lhe fora dito por outros. Na verdade, tudo soava muito promissor. Se realmente fosse tão fácil assim influenciar os juízes por meio dos contatos pessoais, como o advogado dissera, então o contato do pintor com esses juízes vaidosos seria especialmente importante, e no mínimo não devia ser subestimado. E o pintor caberia muito bem no círculo de assistentes que K. estava lentamente juntando ao redor de si. Fora notado no banco por seu talento ao organizar. Ali, onde dependia inteiramente dos próprios recursos, seria uma boa oportunidade de testar esse talento até os limites. O pintor observou o efeito que sua explicação tivera em K. e então, com certa inquietação, disse:

– Não lhe ocorre que o jeito com que estou falando é quase igual ao de um advogado? É esse contato incessante com os cavalheiros da corte que gera essa influência sobre mim. Ganho muito com isso, claro, mas perco muito, artisticamente falando.

– Como entrou em contato pela primeira vez com os juízes, então? – perguntou K., que queria primeiro ganhar a confiança do pintor antes de admiti-lo a seu serviço.

— Isso foi muito fácil — respondeu o pintor. — Eu herdei esses contatos. Meu pai foi pintor da corte antes de mim. Esse cargo é sempre herdado. Não podem usar gente nova para ele, as regras que governam como os diversos níveis de funcionários são pintados são tantas e diversas, e, acima de tudo, tão secretas, que ninguém fora de certas famílias nem as conhece. Naquela gaveta ali, por exemplo, guardo as anotações do meu pai, que não mostro a ninguém. Mas a pessoa só consegue pintar juízes se souber o que elas dizem. Embora, mesmo que eu as perdesse, ninguém jamais poderia disputar a minha posição, porque todas essas regras eu as carrego na cabeça. Todos os juízes querem ser pintados como os grandes juízes antigos eram, e sou o único que pode fazer isso.

— É de se invejar — afirmou K., pensando em seu cargo no banco. — Seu cargo é bem inexpugnável, então?

— Sim, bem inexpugnável — concordou o pintor, erguendo os ombros, de orgulho. — É assim que posso até me dar o luxo de ajudar um pobre coitado que enfrenta um processo de vez em quando.

— E como é que você faz isso? — perguntou K., como se o pintor não tivesse acabado de descrevê-lo como um pobre coitado.

O pintor não se deixou ser distraído, explicou:

— No seu caso, por exemplo, como é totalmente inocente, isso é o que vou fazer.

A repetição de sua inocência começava a deixar K. aborrecido. Às vezes, parecia-lhe que o pintor usava esses comentários para fazer de um resultado favorável do processo uma precondição para sua ajuda, o que, obviamente, faria da ajuda desnecessária. Mas, apesar dessas dúvidas, K. forçou-se a não interromper mais o pintor. Não queria ficar sem a ajuda dele, era basicamente isso que decidira, e essa ajuda não parecia, de modo algum, menos questionável que a do advogado. K. valorizava muito mais a ajuda do pintor porque era oferecida de um jeito mais inofensivo e aberto.

O pintor puxara sua cadeira mais para perto da cama e continuou num tom de voz mais baixo:

— Esqueci-me de perguntar: que tipo de absolvição deseja? Existem três possibilidades: absolvição absoluta, absolvição aparente e deferimento. Absolvição absoluta é a melhor, claro, só que não há nada que eu possa fazer para conseguir um resultado desses. Acho que não existe ninguém que possa fazer algo para conseguir uma absolvição absoluta. Provavelmente, a única coisa que possa causar isso é o acusado ser inocente. Como você é inocente, pode até ser possível, e poderia depender unicamente da sua inocência. Nesse caso, não vai precisar de mim nem de qualquer outro que o ajude.

Inicialmente, K. ficou pasmo com essa explicação tranquila, mas então, tão baixinho quanto o pintor, ele disse:

— Acho que está se contradizendo.

— Como assim? — perguntou o pintor com paciência, recostando-se com um sorriso no rosto.

Esse sorriso fez K. sentir como se estivesse examinando não as palavras do pintor, mas procurando inconsistências nos procedimentos da corte em si. Não obstante, continuou inabalável:

— Você comentou agora há pouco que a corte não pode ser abordada com provas racionais, e depois restringiu isso à corte aberta, e agora vai a ponto de dizer que um homem inocente não precisa de assistência no tribunal. Isso gera uma contradição. Ademais, você comentou antes que os juízes podem ser influenciados pessoalmente, mas agora insiste que uma absolvição absoluta, como a chama, não pode ser conseguida jamais por influência pessoal. Isso gera uma segunda contradição.

– É bem fácil esclarecer essas contradições – explicou o pintor. – Estamos falando de duas coisas diferentes aqui, existe o que diz a lei e o que eu sei da minha experiência, você não devia confundir as duas. Nunca vi escrito, mas a lei diz, claro, que, por um lado, os inocentes serão libertados, mas, por outro, não diz que os juízes podem ser influenciados. Mas, na minha experiência, é tudo ao contrário. Nunca vi nenhuma absolvição absoluta, mas vi muitas vezes um juiz ser influenciado. É possível, claro, que não houvesse inocência alguma nos casos que conheço. Mas acha isso provável? Nenhum acusado inocente em tantos casos? Quando eu era menino, prestava muita atenção no meu pai quando ele nos contava sobre os casos do tribunal em casa, e os juízes que vinham a esse estúdio falavam sobre o tribunal, e em nossos círculos ninguém fala de outra coisa; eu quase nunca tive a chance de ir pessoalmente ao tribunal, mas sempre usei disso quando pude, ouvi incontáveis processos em estágios importantes do seu desenrolar, acompanhei-os de perto até onde podiam ser acompanhados, e tenho de dizer que nunca vi uma absolvição sequer.

– Então. Nenhuma absolvição – concluiu K., como se falasse consigo e suas esperanças. – Isso confirma a impressão que já tenho da corte. Então, não faz sentido algum também desse lado. Poderiam trocar toda a corte por um único carrasco.

– Você não devia generalizar – completou o pintor, insatisfeito –, só estou falando do que sei, por experiência.

– Bom, isso basta. Ou já ouviu falar de alguma absolvição que aconteceu antes? – perguntou K.

– Dizem que houve algumas absolvições antes – respondeu o pintor –, mas é muito difícil ter certeza disso. Os tribunais não tornam suas conclusões finais públicas, nem mesmo os juízes podem ficar sabendo, de modo que tudo que sabemos desses casos mais antigos é somente lenda. Mas a maioria deles envolveu absolvições absolutas, pode acreditar, só não há como provar. Por outro lado, não se deve esquecer completamente deles, tenho certeza de que existe certa verdade neles, e são muito bonitos, já pintei alguns quadros representando essas lendas.

– Minha avaliação não será alterada por meras lendas. Não creio que seja possível citar essas lendas no tribunal, certo? – perguntou K.

O pintor riu.

– Não, não se pode citá-las no tribunal – comentou.

– Então, não há por que falar nelas – completou K., que desejava, ao menos por hora, aceitar tudo o que o pintor lhe dizia, mesmo se achasse improvável ou que contradissesse o que tinham lhe dito outras pessoas.

Ele não tinha agora tempo de examinar a verdade de tudo que o pintor dizia ou mesmo de refutar, já teria conseguido o máximo que podia se o pintor o ajudasse de qualquer modo, mesmo que sua ajuda não fosse decisiva. Em decorrência, disse:

– Então, não vamos mais prestar atenção à absolvição absoluta, mas você mencionou outras duas possibilidades.

– Absolvição aparente e deferimento. São as únicas possibilidades – explicou o pintor. – Mas antes que falemos delas, não gostaria de tirar a jaqueta? Deve estar com calor.

– Sim – concordou K., que até então não prestara atenção em nada além das explicações do pintor, mas, agora que tivera o calor apontado, sua testa começou a suar profusamente. – Está quase insuportável.

O pintor assentiu, como se entendesse muito bem o desconforto de K.

— Não podemos abrir a janela? — K. perguntou.

— Não — retrucou o pintor. — É só um painel de vidro fixo, não tem como abrir.

K. reparou que o tempo todo estivera torcendo para que o pintor fosse subitamente caminhar até a janela para abri-la. Preparara-se até para a neblina que respiraria pela boca aberta. Pensar que ali ele estava inteiramente cortado do ar o fez sentir tontura. Dando tapinhas no cobertor ao lado, com a voz fraca, disse:

— Isso é muito inconveniente e prejudicial à saúde.

— Oh, não — negou o pintor, em defesa de sua janela. — Como não pode ser aberta, este quarto retém o calor melhor do que se a janela fosse de folha dupla, apesar de ser um único painel. Não há muita necessidade de arejar o quarto já que tem tanta ventilação que entra pelas frestas na madeira, mas, quando quero, posso sim abrir uma das minhas portas, ou até as duas.

K. até que se consolou com essa explicação, e olhou ao redor para ver onde ficava a segunda porta. O pintor o viu fazer isso e disse:

— Está atrás de você, tive que escondê-la atrás da cama.

Somente então K. conseguiu ver a portinha na parede.

— É mesmo muito pequeno para um estúdio, aqui — comentou o pintor, como se quisesse antecipar a objeção que K. ia fazer. — Tive que arranjar as coisas o melhor que pude. Em frente à porta é, obviamente, um lugar péssimo para a cama. Por exemplo, quando o juiz que estou pintando no momento vem, ele sempre entra pela porta da cama, e até dei a ele uma chave dessa porta, para que possa esperar por mim dentro do estúdio, quando não estou em casa. Embora hoje em dia ele costume vir cedo, de manhã, quando ainda estou dormindo. E, claro, sempre acordo quando ouço a porta abrindo ao lado da cama, independentemente do peso do sono. Se pudesse ouvir o modo como o xingo quando ele passa por cima da cama de manhã, você perderia todo o respeito pelos juízes. Acho até que poderia tomar dele a chave, mas isso só pioraria as coisas. Não é preciso muito esforço para arrancar qualquer uma das portas das dobradiças.

O tempo todo em que o pintor falava, K. considerara se devia ou não tirar a jaqueta, mas finalmente reparou que, se não o fizesse, seria impossível para ele ficar mais ali, então tirou a jaqueta e a pousou no joelho, para que pudesse tornar a vesti-la assim que a conversa terminasse. Mal ele fizera isso, uma das meninas berrou:

– Ele tirou a jaqueta!

E todas as outras puderam ser ouvidas apertando-se ao redor das fendas nas tábuas para ver o espetáculo por si mesmas.

– As meninas acham que vou pintar o seu retrato – explicou o pintor –, e que é por isso que está tirando a jaqueta.

– Entendo – disse K., vendo bem pouca graça naquilo, pois se sentia muito pouco melhor do que antes, mesmo estando agora apenas em mangas de camisa. Com certa irritação, perguntou: – Quais eram mesmo as outras duas possibilidades de que falou?

Já tinha se esquecido dos termos usados.

– Absolvição aparente e deferimento – continuou o pintor. – Cabe a você qual vai escolher. Pode conseguir qualquer uma das duas se eu ajudá-lo, mas será preciso certo esforço, claro. A diferença entre elas é que a absolvição aparente demanda esforço concentrado por um tempo e o deferimento leva muito menos esforço, mas tem de ser mantido. Bom, então, absolvição aparente. Se for essa que vai querer, escreverei uma declaração da sua inocência num pedaço de papel. O texto de uma declaração desse tipo foi passado a mim pelo meu pai e é bem inexpugnável. Levo essa declaração para os juízes que conheço. Então, começarei pelo que estou pintando atualmente, e dou-lhe a declaração quando vier posar hoje à noite. Colocarei essa declaração na frente dele, explicarei que é inocente e lhe darei minha garantia pessoal disso. E não é somente uma declaração superficial, é real, é um compromisso.

Os olhos do pintor pareciam demonstrar certa reprovação por K. querer impor esse tipo de responsabilidade a ele.

– Isso seria muito gentil da sua parte. E o juiz acreditaria em você, então, e mesmo assim não passaria de uma absolvição absoluta? – perguntou K.

– É como eu acabei de dizer – respondeu o pintor. – E, de qualquer maneira, não tenho tanta certeza assim de que todos os juízes acreditariam em mim, muitos deles, por exemplo, podem querer que eu o leve para vê-los pessoalmente. Então, tem de vir junto. Mas pelo menos então, se acontecer, a vitória está a meio caminho andado, principalmente porque eu lhe ensinaria com antecedência exatamente como seria preciso agir com o juiz em questão, claro. O que também acontece, no entanto, é que alguns juízes me recusam de antemão, e isso é pior. Eu certamente farei várias tentativas, mas, mesmo assim, teremos que nos esquecer desses, mas pelo menos podemos fazer isso, visto que nenhum juiz pode passar o veredicto decisivo. Então, quando eu tiver assinaturas de juízes suficientes nesse documento, eu o levarei ao juiz que está cuidando do seu caso. Talvez eu até já tenha a assinatura dele, caso em que as coisas se desenrolam um pouco mais rápido do que do contrário. Mas não costuma haver muitos entraves daí em diante, e é nessa fase que o acusado pode sentir-se mais confiante. É estranho, mas verdade, que as pessoas sentem-se mais confiantes nessa época do que depois que são absolvidas. Não é preciso esforço específico algum nessa fase. Quando se tem um documento afirmando a inocência do acusado, garantida por um número de outros juízes, o juiz pode absolver sem quaisquer preocupações, e, embora ainda haja diversas formalidades pelas quais passar, não há dúvida de que é algo que ele fará como um favor para mim e diversos outros conhecidos. Você, contudo, deixa o tribunal e está livre.

– Então, estarei livre – disse K., hesitante.

– Isso mesmo – concordou o pintor –, mas apenas aparentemente livre, ou melhor, temporariamente livre, já que os juízes menores, os que eu conheço, não têm o direito de dar a absolvição final. Somente o mais alto juiz pode fazer isso, e no tribunal ele está bem fora do alcance para você, para mim e para todos nós. Não sabemos como são as coisas lá e, a propósito, não queremos saber. O direito de absolver pessoas é um privilégio dos maiores, e nossos juízes não o têm, mas possuem, sim, o direito de libertar pessoas da acusação. Ou seja, se são libertas desse modo, então por ora a acusação é retirada, mas continua pendente sobre as cabeças delas, e é preciso apenas uma ordem lá de cima para trazê-las de volta à força. E, como tenho tão bom contato com a corte, posso também lhe dizer como a diferença entre absolvição absoluta e aparente é descrita, apenas de modo superficial, nas diretivas dos escritórios da corte. Se ocorre uma absolvição absoluta, todos os procedimentos devem parar, tudo desaparece do processo, não apenas a acusação, mas o processo e até a absolvição desaparecem, tudo apenas desaparece. Com a absolvição aparente é diferente. Quando ela acontece, nada mudou, a não ser que o caso para a sua inocência, para sua absolvição e as bases para a absolvição tenham ficado mais fortes. Tirando isso, os procedimentos continuam como antes, os escritórios da corte continuam seus trabalhos, e o caso é passado para tribunais superiores, é passado de volta para tribunais inferiores e por aí vai, para trás e para a frente, às vezes mais rápido, às vezes mais devagar, frente e trás. É impossível saber exatamente o que está acontecendo durante esse movimento. Visto de fora, pode parecer, às vezes, que foi tudo esquecido há muito, os documentos foram perdidos e a absolvição é total. Ninguém que conhece a corte acreditaria. Nenhum documento nunca é perdido, a corte nunca se esquece de nada. Um dia, ninguém espera, um ou outro juiz pega os documentos e os analisa com mais atenção, nota que o caso em particular ainda está ativo, e ordena a prisão imediata do acusado. Fiquei falando aqui como se houvesse uma longa demora entre a absolvição aparente e ser preso mais uma vez, isso é bem possível, e conheço casos assim, mas é quase tão provável que o acusado vá para casa após ter sido absolvido e encontre alguém esperando para prendê-lo novamente. Claro, nesse ponto a vida dele como homem livre acabou.

— E o processo começa de novo? — perguntou K., achando tudo muito difícil de acreditar.

— O processo sempre recomeçará — explicou o pintor —, mas existe, mais uma vez, como antes, a possibilidade de conseguir uma absolvição aparente. Mais uma vez, o acusado tem de juntar todas as suas forças e não pode desistir.

O pintor disse essa última frase possivelmente como resultado da impressão que K., cujos ombros baixaram um pouco, transmitira.

— Mas, para conseguir uma segunda absolvição — K. perguntou, como se antecipando novas revelações do pintor —, não é mais difícil do que da primeira?

— Quanto a esse aspecto — respondeu o pintor —, não há nada que se possa dizer com certeza. Está dizendo que a segunda prisão teria influência adversa sobre o juiz e o veredicto que vai dar ao acusado? Não é assim que acontece. Quando a absolvição é concedida, os juízes já estão cientes de que uma nova prisão é provável. Então, quando ela acontece, quase não surte efeito. Mas existem inúmeras outras razões pelas quais o humor dos juízes e sua perspicácia legal no caso possam ser alterados, e os esforços para se obter uma segunda absolvição devem, portanto, ser adequados a novas condições, e geralmente tão vigorosas quanto na primeira.

— Mas essa segunda absolvição será, mais uma vez, não definitiva — comentou K., sacudindo a cabeça.

— Claro que não — explicou o pintor. — A segunda absolvição é seguida pela terceira prisão, e a terceira absolvição, pela quarta prisão, e assim por diante. Foi isso que quis dizer com absolvição aparente.

K. ficou em silêncio.

— Você claramente não acha que uma absolvição aparente oferece muita vantagem — colocou o pintor. — Talvez o deferimento lhe seja mais interessante. Gostaria que eu explicasse de que se trata o deferimento?

K. assentiu. O pintor inclinou-se para trás e esparramou-se na cadeira, com o pijama todo aberto, tinha enfiado a mão lá dentro e passava pelo peito e pelas costelas.

— Deferimento — explicou o pintor, olhando vagamente para a frente, por um tempo, como se tentasse encontrar a explicação perfeitamente apropriada —, o deferimento consiste em manter os procedimentos permanentes nos estágios iniciais. Para fazer isso, o acusado e aqueles que estão ajudando precisam manter contato pessoal contínuo com a corte, principalmente os que estão ajudando. Eu repito, ele não demanda tanto esforço quanto conseguir absolvição aparente, mas provavelmente demanda muito mais atenção. Você não deve nunca tirar os olhos do processo, tem que ir ver o juiz apropriado em intervalos regulares, assim como quando algo especial aparece, e, o que quer que faça, tem que tentar ser sempre amigável com ele; se você não conhece o juiz pessoalmente, tem que influenciá-lo pelos juízes que conhece, e tem que fazer isso sem abrir mão das discussões diretas. Contanto que não falhe em fazer nada dessas coisas, pode ter certeza de que o processo não passará dos primeiros estágios. O processo não para, mas é quase certeza que o acusado evitará a convicção, como se tivesse sido absolvido. Comparado com a absolvição aparente, o deferimento tem a vantagem de que o futuro do acusado torna-se menos incerto, ele se poupa do choque de ser subitamente preso de novo e não precisa temer a exaustão e o estresse envolvidos em conseguir uma absolvição aparente justo quando tudo mais na vida dele tornaria isso mais difícil. O deferimento tem, sim, certas desvantagens também, no entanto, e não devem ser subestimadas. Não quero dizer com isso que o acusado nunca fica livre, ele não está livre, no sentido próprio da palavra, também na absolvição aparente. Há mais uma desvantagem. Os procedimentos não podem ser impedidos de avançar a não ser que existam razões pelo menos ostensivas. Então precisa estar parecendo que acontece algo, visto de fora. Isso significa que de tempo em tempo várias injunções têm de ser obedecidas, o acusado tem de ser questionado, as investigações têm que acontecer, e tudo mais.

O processo foi artificialmente restrito dentro de um pequeno círculo, e tem de ser continuamente girado em torno dele. E isso, claro, traz consigo certo desagrado para o acusado, embora você não deva achar que é de todo ruim. Tudo isso é puro show, os interrogatórios, por exemplo, são sempre muito curtos, se não tiver tempo ou não estiver com vontade de ir, pode dar uma desculpa, com alguns juízes poderá até arranjar as injunções junto com muito tempo de antecedência, em essência, significa basicamente que, enquanto acusado, você tem de se reportar ao juiz de tempo em tempo.

Mesmo enquanto o pintor falava essas últimas palavras, K. tinha colocado a jaqueta em cima do braço e se levantara. Imediatamente, da porta lá de fora, as meninas gritaram que ele estava se levantando.

– Já vai embora? – perguntou o pintor, que também se levantara. – Deve ser o ar que o está incitando a ir. Sinto muito por isso. Ainda há muito que lhe dizer. Tive que falar tudo muito resumidamente, mas espero que pelo menos tenha sido claro.

– Ah, sim – disse K., cuja cabeça doía do esforço de escutar.

Apesar dessa afirmação, o pintor resumiu tudo mais uma vez, como se quisesse dar a K. algo com que se consolar a caminho de casa.

– Os dois têm em comum o fato de impedir que o acusado seja condenado – observou.

– Mas também impedem que seja adequadamente absolvido – K. completou baixinho, como se envergonhado de reconhecer os fatos.

– É isso mesmo, em resumo – afirmou rapidamente o pintor.

K. colocou a mão no casaco, mas não conseguiu vesti-lo. Basicamente, teve vontade de juntar tudo num embrulho e sair correndo para o ar fresco. Nem mesmo as meninas puderam induzi-lo a vestir o casaco, mesmo que já gritassem muito alto umas com as outras que ele o fazia. O pintor ainda quis interpretar o humor de K. de algum modo, então comentou:

— Imagino que está evitando deliberadamente tomar uma decisão com relação às minhas sugestões. Isso é bom. Eu teria mesmo aconselhado não tomar uma decisão logo de cara. É uma linha fina demais que separa as vantagens das desvantagens. Tudo tem de ser pesado com muito cuidado. Mas o mais importante é não perder tempo demais.

— Voltarei aqui em breve — informou K., que resolvera subitamente vestir a jaqueta, depois jogou o casaco por cima do ombro e correu para a porta, atrás da qual as meninas começaram a gritar.

K. pensou ter visto as meninas gritando pela porta.

— Bom, espero que cumpra com sua palavra — disse o pintor, que não o seguira —, do contrário eu mesmo irei ao banco perguntar de você.

— Pode abrir a porta para mim? — indagou K., tentando virar a maçaneta, que, como notara pela resistência, estava sendo restringida pelas meninas, do outro lado.

— Quer ser incomodado pelas meninas? — perguntou o pintor. — É melhor usar a outra saída — disse, apontando para a porta atrás da cama.

K. concordou com a sugestão e pulou para a cama. Mas, em vez de abrir essa porta, o pintor entrou debaixo da cama e, de lá, perguntou a K.:

— Só mais um momento, não gostaria de ver um quadro que podia querer comprar?

K. não quis ser indelicado, o pintor estava mesmo do lado dele e prometera ajudar mais no futuro, e, por ser tão esquecido, K. não mencionara nada de pagamento pela ajuda do pintor, por isso não podia desapontar o homem agora, e permitiu, então, que ele lhe mostrasse o quadro, ainda que trêmulo de impaciência para sair do estúdio. De debaixo da cama, o pintor tirou uma pilha de quadros sem moldura. Estavam tão cobertos de poeira que, quando o pintor tentou soprá-la fora de cima de um deles, a poeira girou em frente aos olhos de K., roubando-lhe o ar por algum tempo.

– Paisagens verdejantes – explicou o pintor, entregando o quadro a K.

Eram duas árvores adoentadas, bem separadas uma da outra sobre um gramado escuro. Ao fundo, um pôr do sol multicolorido.

– Muito bom! – exclamou K. – Vou comprar.

K. expressou-se desse modo, direto, sem nem pensar, então ficou contente quando o pintor não levou a mal, e pegou um segundo quadro do chão.

– Este é um contraponto ao primeiro quadro – explicou ele.

Talvez a intenção tivesse sido fazer um contraponto, mas não havia a menor diferença visível entre esse e o primeiro, havia árvores, havia grama e havia um pôr do sol. Mas isso pouco tinha importância para K.

– São paisagens lindas – comentou. – Comprarei os dois e pendurarei na minha sala.

– Você parece gostar desse tema – disse o pintor, pegando um terceiro quadro. – Que bom que tenho ainda outro quadro similar, aqui.

O quadro, no entanto, não era similar, mas exatamente o mesmo, com a mesma paisagem. O pintor estava explorando ao máximo essa oportunidade de vender os quadros velhos.

– Vou levar esse também. Quanto custam os três quadros? – perguntou K.

– Podemos falar sobre isso da próxima vez – comentou o pintor. – Você está com pressa, agora, e manteremos contato. Além disso, fico feliz por ter gostado dos quadros, dar-lhe-ei todos os quadros que tenho aqui. São todos paisagens verdejantes, pintei várias paisagens verdejantes. Muita gente não gosta desse tipo de quadro por ser sombrio demais, mas tem outras, e você é uma delas, que adoram temas mais sombrios.

Mas K. não estava com a mínima vontade de ouvir sobre as experiências profissionais do pintor quase pedinte.

– Embrulhe todos! – afirmou, interrompendo o pintor, enquanto ele falava. – Meu assistente virá buscá-los pela manhã.

– Isso não será necessário – explicou o pintor. – Espero encontrar um carregador para dar a você agora.

Finalmente, então, ele se debruçou sobre a cama e abriu a porta.

– Pode pisar na cama, não se preocupe – disse o pintor. – É o que todos fazem quando vêm aqui.

Mesmo sem esse convite, K. não demonstrara remorso algum e já colocara o pé no meio dos cobertores, depois olhou pela porta aberta e puxou o pé de volta.

– Que foi? – perguntou o pintor. – Por que está tão surpreso? – perguntou, surpreso por sua vez. – Aqueles são escritórios da corte. Você não sabia que tem escritórios da corte aqui? Existem escritórios da corte em quase todos os sótãos, por que neste prédio seria diferente? Até o meu estúdio é, na verdade, um dos escritórios da corte, mas a corte o pôs ao meu dispor.

Não foi bem encontrar salas da corte até mesmo ali que chocara K., estava mais chocado era consigo mesmo, com sua inocência no que se referia aos assuntos da corte. Pareceu-lhe que uma das regras mais básicas que governavam o modo com que o acusado devia comportar-se era sempre estar preparado, jamais permitir surpreender-se por nunca olhar sem suspeitar para a direita quando o juiz estivesse ao lado dele à esquerda – e essa era a regra básica que ele continuava a violar. Um corredor comprido estendia-se à frente dele, de onde soprava ar que, comparado ao ar do estúdio, era muito refrescante. Havia bancos dispostos ao longo de cada lado do corredor, exatamente como na sala de espera do escritório a que ele fora. Parecia haver regras precisas que governavam como esses escritórios deviam ser equipados. Não parecia haver muita gente visitando as salas nesse dia. Havia um homem ali, meio sentado, meio deitado, com o rosto enfiado no braço, sobre o banco, e parecia estar dormindo; outro homem estava de pé, quase no escuro, no final do corredor. K. subiu em cima da cama e o pintor o seguiu com os quadros. Logo passaram por um funcionário da corte – K. sabia agora reconhecer todos os funcionários da corte pelos botões dourados que usavam nas roupas de civil acima dos botões normais – e o pintor instruiu-lhe que fosse com K., carregando os quadros. K. mais cambaleava que andava, com o lenço prensado sobre a boca. Tinham quase alcançado a saída quando as meninas avançaram contra eles, então K. não pôde de todo evitá-las. Obviamente, elas viram que a segunda porta do estúdio fora aberta e tinham dado a volta para impor-se contra ele por esse lado.

– Não posso mais acompanhá-lo! – explicou o pintor, rindo, quando as meninas apareceram. – Adeus, e não hesite demais!

K. nem olhou para trás. Uma vez na rua, pegou o primeiro táxi com que deparou. Tinha agora de livrar-se do funcionário da corte, cujo botão dourado continuamente lhe pegava o olhar, ainda que não pegasse o de mais ninguém. Como criado, esse funcionário tinha de ir sentado na boleia. Mas K. saiu com ele dali. Já era o meio da tarde quando K. chegou à entrada do banco. Teria preferido largar os quadros no táxi, mas receou que haveria a ocasião em que teria de deixar o pintor ver que ainda os possuía. Então, pediu que levassem os quadros para sua sala e trancou-os na gaveta mais baixa da mesa, para poder pelo menos mantê-los a salvo das vistas do diretor assistente pelos próximos dias.

CAPÍTULO OITO
Block, o comerciante. Dispensando o advogado.

K. finalmente tomara a decisão de retirar sua defesa das mãos do advogado. Foi impossível sanar as dúvidas quanto a se tomar a decisão certa, mas isso foi sobrepujado pela crença que tinha na necessidade. Essa decisão, no dia em que pretendia ir ver o advogado, tomou-lhe muito da força de que precisava para o trabalho. Ele trabalhou de modo excepcionalmente lento, teve de ficar no escritório por mais tempo, e já passava das dez quando finalmente foi bater na porta do advogado. Mesmo antes de tocar, considerou se não seria melhor dar a notícia ao advogado por carta ou telefone, pois uma conversa pessoal certamente seria complicada. Não obstante, K. não queria deixar de tê-la, se desse a notícia por qualquer outro meio, ela seria recebida em silêncio ou com umas poucas palavras formuladas, e, ao menos que Leni conseguisse descobrir alguma coisa, K. jamais saberia como o advogado lidara com a dispensa e quais seriam as consequências, sob a opinião de valor dele. Mas sentado na frente dele e pego de surpresa pela dispensa, K. poderia, facilmente, inferir tudo o que quisesse do rosto e do comportamento do advogado, mesmo que não pudesse ser induzido a falar bastante. Não estava totalmente fora de cogitação que K. acabasse, no fim das contas, sendo persuadido que seria melhor deixar sua defesa com o advogado e retirar a dispensa.

Como sempre, no começo ninguém respondeu quando K. tocou a campainha. "Leni podia ser um pouco mais rápida", pensou K. Mas pelo menos ele podia contentar-se por não haver mais ninguém interferindo, como costumava acontecer, fosse o homem de pijama ou qualquer outro que viesse incomodá-lo. Quando apertou o botão pela segunda vez, K. olhou para a outra porta, mas dessa vez ela também permaneceu fechada. Finalmente, dois olhos apareceram na escotilha da porta do advogado, embora não fossem os de Leni. Alguém destrancou a porta, mas se manteve prensado contra ela, enquanto disse, lá de dentro:

– É ele!

E somente então abriu adequadamente a porta. K. empurrou-a, pois que atrás de si já podia ouvir a chave sendo girada apressadamente na fechadura da porta da outra residência. Quando a porta à sua frente finalmente se abriu, ele disparou para o corredor. No corredor que dava para as outras salas, ele viu Leni, para quem fora dirigido o aviso da pessoa que abrira a porta, ainda zanzando por ali de camisola. Ele olhou para ela por um instante, depois se virou para olhar para a pessoa que abrira a porta. Era um homenzinho encarquilhado de barba cheia com uma vela na mão.

– Você trabalha aqui? – perguntou K.

– Não – respondeu o homem. – Não tenho nada com este lugar, é que o advogado está me representando, estou aqui tratando de questões legais.

– Sem seu casaco? – perguntou K., indicando a deficiência de vestuário do homem com um gesto da mão.

– Ah, por favor, me perdoe! – solicitou o homem, e olhou-se com a luz da vela que segurava, como se não soubesse de sua aparência até então.

– Leni é sua amante? – K. perguntou sem cerimônia.

Abrira as pernas bem espaçadas, e as mãos, com as quais segurava o chapéu, estavam nas costas. Apenas por ter um casaco grosso, sentiu ter vantagem sobre o homenzinho magrelo.

– Oh, Deus! – comentou ele, chocado, erguendo a mão em frente ao rosto, como se para defender-se. – Não, não, do que está falando?
– Você parece ser bem honesto – falou K., com um sorriso –, mas venha aqui mesmo assim.
K. indicou com o chapéu o caminho por onde o homem devia passar e deixou que fosse primeiro.
– Qual é seu nome? – perguntou ele, a caminho.
– Block. Sou comerciante – explicou o homem, girando-se enquanto se apresentava, embora K. não lhe permitisse parar de andar.
– Esse é o seu nome verdadeiro? – K. perguntou.
– Claro que sim – foi a resposta do homem –, por que duvidar disso?
– Pensei que pudesse ter algum motivo para manter o nome em segredo – respondeu K.
Sentia-se tão livre quanto normalmente apenas se sente alguém que está no estrangeiro falando com pessoas de posição inferior, mantendo tudo sobre si para si, falando apenas casualmente sobre os interesses do outro, capaz de elevá-lo a um nível acima do dele, mas capaz também, quando quiser, de deixá-lo tornar a cair. K. parou na porta do escritório do advogado, abriu-a e, para o comerciante, que tinha obedientemente seguido adiante, disse:
– Não tão rápido! Traga um pouco de luz aqui!
K. achava que Leni devia estar escondida ali dentro. Ele deixou que o comerciante procurasse em cada canto, mas a sala estava vazia. Em frente ao quadro do juiz, K. segurou o comerciante pelos suspensórios para impedir que continuasse a se mexer.

— Conhece esse homem? — perguntou, apontando para o alto.

O comerciante ergueu a vela, olhou para cima, piscando muito, e disse:

— É um juiz.

— Um juiz importante? — perguntou K., e deu um passo de lado, ainda em frente ao comerciante, para poder observar qual impressão o quadro causava nele.

O comerciante apreciava a imagem com admiração.

— É um juiz importante.

— Não lhe ocorre mais nada? — perguntou K. — Ele é o mais inferior dos juízes de instrução inferiores.

— Agora eu me lembro — explicou o comerciante, baixando a vela. — Já ouvi falar disso.

— Ora, claro que já — afirmou K. — Eu tinha me esquecido, claro que você já ouviu falar.

— Mas por quê, por quê? — perguntou o comerciante, caminhando para a porta, propelido pelas mãos de K.

Lá fora, no corredor, K. indagou:

— Sabe onde Leni está escondida, não sabe?

— Escondida? — perguntou o comerciante. — Não, mas ela deve estar na cozinha, fazendo sopa para o advogado.

— Por que não disse isso logo de cara? — perguntou K.

— Eu estava me preparando para levá-lo lá, mas você me chamou de volta — o comerciante respondeu, como se confuso com os comandos contraditórios.

— Você se acha muito esperto, não? — perguntou K. — Agora me leve até lá!

K. nunca estivera na cozinha. Era surpreendentemente grande e muito bem equipada. Apenas o fogão era três vezes maior que os fogões normais, mas não era possível ver mais detalhe nenhum além desse, visto que a cozinha estava sendo iluminada, nesse momento, por nada além de uma pequena lâmpada pendurada na entrada. No fogão, estava Leni, de avental branco, como sempre, quebrando ovos numa panela, de pé sobre uma lamparina.

– Boa noite, Josef – cumprimentou ela, olhando de lado.

– Boa noite – respondeu K., apontando com uma das mãos para a cadeira no canto na qual o comerciante devia sentar-se, e ele realmente obedeceu e sentou-se.

K., contudo, chegou bem perto de Leni pelas costas, debruçou o rosto sobre o ombro dela e perguntou:

– Quem é esse homem?

Leni envolveu K. com uma mão enquanto mexia na sopa com a outra, trouxe-o para perto de si e disse:

– É um sujeito de dar pena, um pobre comerciante chamado Block. Olhe para ele.

Os dois olharam para trás. O comerciante estava sentado na cadeira para a qual K. o dirigira, tinha apagado a vela, cuja luz não era mais necessária, e apertava o pavio com os dedos para conter a fumaça.

– Você estava de camisola – disse K., pondo a mão na cabeça dela e girando-a de volta para o fogão.

Ela permaneceu calada.

– É seu amante? – perguntou K.

Ela estava prestes a segurar a panela com as duas mãos, mas K. pegou ambas e gritou:

– Responda!

– Venha até o escritório. Vou explicar tudo.

– Não – negou K. – Quero que explique aqui mesmo.

Ela jogou os braços em torno dele e quis beijar-lhe. Contudo, K. a empurrou e gritou:

– Não quero que me beije agora.
– Josef – abordou Leni, fitando K. com olhinhos suplicantes, mas francos. – Não vai ter ciúme do Sr. Block, vai? Rudi – ela pediu, então, para o comerciante –, me ajude aqui, pode ser? Estão suspeitando de mim, como pode ver, largue essa vela.

Parecera que o Sr. Block não estivera prestando atenção, mas acompanhava tudo com muita atenção.

– Nem sei por que você está com ciúme – comentou ele.
– Nem eu, na verdade – respondeu K., olhando para o comerciante com um sorriso.

Leni soltou uma gargalhada, e porque K. não prestava atenção, aproveitou a chance de dar-lhe um abraço e sussurrar:

– Deixe-o em paz. Já viu que tipo de pessoa ele é. Andei ajudando um pouco porque é um cliente importante do advogado, e nada mais. E quanto a você? Quer falar com o advogado a esta hora do dia? Ele está muito mal hoje, mas se quiser posso dizer-lhe que está aqui. Mas você pode, certamente, passar a noite comigo. Faz tanto tempo que não vem aqui, até o advogado andou perguntando de você. Não negligencie o seu caso! E tenho umas coisas que descobri para lhe contar. Mas agora, antes de mais nada, tire o casaco!

Ela o ajudou com o casaco, tirou o chapéu da cabeça dele, correu com as coisas para o corredor a fim de pendurá-las, depois voltou correndo e viu a sopa.

– Quer que eu lhe diga que está aqui agora mesmo ou levo a sopa primeiro?

– Primeiro diga a ele que estou aqui – pediu K.

Estava de mau humor. Pretendia, inicialmente, discutir em detalhe suas questões com Leni, principalmente a parte de dar a notícia ao advogado, mas não queria mais, por causa da presença do comerciante. Considerara seus assuntos importantes demais para deixar que aquele comerciantezinho participasse e talvez mudasse algumas das decisões dele. Ele chamou Leni quando ela já estava a caminho de ter com o advogado.

– Leve a sopa primeiro – ordenou. – Quero que junte forças para a discussão comigo, ele vai precisar.

– Você também é cliente do advogado, é? – perguntou o comerciante baixinho, do canto, como se tentasse inferir o dado.

A fala não foi, contudo, bem recebida.

– O que o senhor tem a ver com isso? – perguntou K.

– Podem ficar quietos? Vou levar a sopa primeiro, então, posso? – solicitou Leni, servindo a sopa numa tigela. – A única preocupação é que ele pode pegar no sono logo depois de comer.

– O que tenho a dizer-lhe vai mantê-lo acordado – explicou K., que ainda queria insinuar que tinha negociações importantes com o advogado, queria que Leni perguntasse o que era e somente então pedir conselhos dela.

Em vez disso, a moça apenas desembestou a executar a ordem que ele lhe dera. Quando passou por ele com a tigela, roçou-se nele deliberadamente e sussurrou:

– Direi que você está aqui assim que ele terminar de comer a sopa, para poder tê-lo de volta o mais cedo possível.

– Vá logo – disse K. – Pode ir.

– Seja um pouco mais agradável – ela observou, e, ainda segurando a tigela, deu mais uma volta completa na porta da cozinha.

K. a viu saindo; finalmente tomara a decisão de que o advogado seria dispensado, e devia ter sido melhor não ter conseguido discutir o assunto com Leni antes; ela mal entendia a complexidade da questão, certamente o teria aconselhado do contrário e talvez até conseguido impedi-lo de dispensar o advogado dessa vez, ele teria ficado com dúvidas e inquieto e, no fim das contas, executado a decisão após certo tempo de qualquer maneira, visto que essa decisão era algo que ele não poderia evitar. Quanto antes fosse executada, mais prejuízo seria evitado. E, ademais, talvez o comerciante tivesse algo a comentar sobre o assunto.

K. voltou-se para ele. O comerciante quase não notou, pois estava prestes a se levantar.

– Fique onde está – ordenou K., e pôs uma cadeira ao lado dele. – Faz tempo que é cliente do advogado?

– Sim – respondeu o comerciante –, faz muito tempo.

– Há quantos anos ele vem representando você? – perguntou K.

– Não sei se entendi bem – respondeu o comerciante. – É meu advogado de negócios, eu compro e vendo cereais. Ele é meu advogado desde que assumi o negócio, e isso faz uns vinte anos agora, mas talvez esteja se referindo ao meu processo, e nesse ele vem me representando desde que começou, e isso faz mais de cinco anos. Bem, muito mais que cinco anos – ele acrescentou, pegando uma maleta velha. – Tenho tudo escrito aqui; posso falar as datas exatas, se quiser. É tão difícil me lembrar de tudo. Provavelmente, meu processo está rolando há muito mais tempo que isso, começou logo depois da morte da minha esposa, e isso faz mais de cinco anos e meio.

K. chegou mais perto do homem.

– Então o advogado trabalha com negócios também? – perguntou.

Essa combinação de questões criminais e comerciais foi uma surpresa, e deixou K. muito mais tranquilo.

– Ah, sim – disse o comerciante, que depois sussurrou: – Dizem até que ele é mais eficiente em jurisprudência do que em outras questões.

Mas, então, ele pareceu arrepender-se de ter dito isso, e pôs a mão no ombro de K. e pediu:

– Por favor, não me dedure para ele, certo?

K. deu um tapinha na coxa do homem para tranquilizá-lo e falou:

– Não, eu não deduro as pessoas.

– Ele pode ser tão vingativo, sabe? – comentou o comerciante.

– Tenho certeza de que não fará nada contra um cliente tão fiel quanto você – respondeu K.

– Ah, pode fazer sim – explicou o comerciante. – Quando fica contrariado, não importa de quem se trata. E, de qualquer maneira, não sou tão fiel assim.

– Como é isso?

– Não tenho certeza se devo contar-lhe isso – comentou o comerciante, hesitando.

– Acho que não há problema.

– Bem – continuou o comerciante –, vou contar um pouco disso, mas você terá de me contar um segredo também, assim podemos dar apoio um ao outro com relação ao advogado.

– Você é bem cuidadoso – elogiou K. –, mas vou contar-lhe um segredo que vai deixar sua consciência totalmente tranquila. Agora me conte, em que sentido você foi infiel ao advogado?

– Eu... – estranhou o comerciante, hesitando, e num tom de voz como se confessasse algo muito desonroso – contratei outros advogados além dele.

– Isso não é tão sério – continuou K., um pouco decepcionado.

– Aqui é sim – explicou o comerciante, que respirava com um pouco de dificuldade após fazer a confissão, mas agora, tendo ouvido o comentário de K., começou a ter mais confiança nele. – Isso não é permitido. E é menos permitido ainda contratar advogados inferiores quando já se tem um adequado. E foi isso que eu fiz, além dele, tenho cinco advogados inferiores.

– Cinco! – exclamou K., admirado com a quantidade. – Cinco advogados além desse?

O comerciante assentiu.

– Cheguei até a negociar com um sexto.

– Mas por que precisa de tantos advogados? – perguntou K.

– Preciso de todos eles.

– Importa-se de me explicar melhor isso?

– Não vejo problema. Principalmente, não quero perder no meu caso; bem, isso é óbvio. E isso significa que não devo negligenciar nada que possa ser de uso para mim; mesmo que haja muito pouca esperança de uma coisa específica ser de alguma utilidade, não posso simplesmente desperdiçar. Então, tudo que tenho, coloquei em uso no caso. Peguei todo o dinheiro do meu empreendimento; por exemplo, os escritórios da minha empresa antes ocupavam quase um andar inteiro, mas agora tudo de que preciso é uma salinha nos fundos, onde trabalho com um aprendiz. Não foi somente usar o dinheiro o que causou a dificuldade, claro, estava tudo mais relacionado ao fato de eu não trabalhar tanto na empresa quanto costumava. Se quiser fazer algo pelo seu processo, não vai ter muito tempo para quase nada mais.

– Então você trabalha no tribunal pessoalmente? – perguntou K. – Era justamente sobre isso que eu queria saber mais.

– Não posso contar muito sobre isso – disse o comerciante. – No começo, tentei fazer isso também, mas logo tive que desistir. Você fica exausto e não adianta muita coisa. E acabou sendo quase impossível atuar lá pessoalmente e negociar, pelo

menos para mim. É um grande esforço ficar lá sentado, esperando. Você sabe muito bem como é o ar naquelas salas.
– Como sabe que estive lá? – K. perguntou.
– Eu estava na sala de espera quando você passou.
– Ora, mas que coincidência! – exclamou K., totalmente absorvido, esquecendo-se de quão ridículo o comerciante lhe parecera anteriormente. – Então, me viu! Estava na sala de espera quando passei. Sim, eu passei por lá uma vez.
– Não foi tamanha coincidência assim – explicou o comerciante. – Eu estou lá quase todos os dias.
– Imagino que terei de ir muito também – disse K. –, embora eu não espere que me tratem com o mesmo respeito da primeira vez. Todos se levantaram por minha causa. Devem ter achado que eu era um juiz.
– Não – comentou o comerciante –, estávamos cumprimentando o criado do tribunal. Sabíamos que você era um réu. Esse tipo de notícia espalha muito rápido.
– Então já sabiam de mim. O jeito com que me portei deve ter lhe parecido muito arrogante. Você me criticou por isso depois?
– Não, pelo contrário. Aquilo foi só estupidez.
– O que quer dizer com "estupidez"? – indagou K.
– Por que quer saber? – retrucou o comerciante, meio irritado. – Pelo visto ainda não conhece as pessoas de lá e pode entender tudo errado. Não se esqueça de que em procedimentos como esse sempre aparecem muitas coisas diferentes para discutir, coisas que não se consegue entender apenas com a razão, fica-se cansado ou distraído demais com tanta coisa e então, em vez disso, as pessoas recorrem à superstição. Estou falando dos outros, mas não sou muito melhor. Uma dessas superstições, por exemplo, é a de que se pode descobrir muito sobre o resultado do caso de um réu olhando bem no rosto

dele, principalmente no formato dos lábios. Tem muitos que acreditam nisso, e disseram que puderam ver, pelo formato dos seus lábios, que você certamente seria considerado culpado muito em breve. Eu repito: tudo isso é apenas uma superstição ridícula, e na maioria dos casos é completamente contradita pelos fatos, mas, quando você vive junto dessa sociedade, é difícil não ser influenciado por crenças como essa. Pense em quanto efeito a superstição pode exercer. Você falou com um deles lá, não foi? Ele quase não conseguiu dar-lhe uma resposta. Tem um monte de coisas lá que podem deixá-lo confuso, claro, mas uma delas, para ele, foi a aparência dos seus lábios. Ele nos contou mais tarde que acho que podia ver algo nos seus lábios que indicava que ele mesmo seria condenado.

– Nos meus lábios? – perguntou K., sacando um espelhinho para examinar-se. – Não vejo nada de especial nos meus lábios. Você vê?

– Não vejo não – respondeu o comerciante. – Nadica de nada.

– Esse pessoal é supersticioso demais! – exclamou K.

– Não foi o que acabei de dizer?

– Então, vocês têm tanto contato assim uns com os outros, ficam trocando opiniões? – perguntou K. – Eu me mantive totalmente distante até agora.

– Eles não têm muito contato uns com os outros normalmente – explicou o comerciante. – Isso seria impossível. São muitos. E eles não têm muito em comum, também. Se um grupo deles acha que descobriu algo em comum, logo percebe que estava enganado. Não há nada que se possa fazer em grupo no que tange ao tribunal. Cada caso é examinado separadamente, a corte é muito diligente. Então, não há nada a conseguir formando um grupo, só às vezes alguém consegue algo em segredo; e somente quando já foi feito os demais ficam sabendo; ninguém sabe como foi feito. No entanto, não há um senso de união, você conhece as pessoas agora e, depois, nas salas de espera, mas não conversamos muito lá. As superstições foram estabelecidas faz muito tempo e se espalham por conta própria.

– Eu vi aqueles cavalheiros na sala de espera – comentou K. – Pareceu-me não haver sentido em ficar esperando daquele jeito.

– Esperar não é inútil. Só é inútil se tentar interferir você mesmo. Eu acabei de dizer que tenho cinco advogados além desse aqui. Você pode achar, eu mesmo pensei, no começo, que eu poderia deixar a coisa toda nas mãos deles agora. Isso é um equívoco. Posso deixar tudo com eles menos do que quando tinha só um. Talvez não compreenda isso, certo?

– Não – respondeu K., e para acalmar o comerciante, que vinha falando rápido demais, pôs a mão na dele para tranquilizá-lo –, mas eu gostaria de pedir que falasse um pouco mais devagar, há muitas coisas importantíssimas para mim, e não consigo acompanhar exatamente o que você está falando.

– Está muito certo em me lembrar disso – comentou o comerciante. – Você é novo em tudo isso, um novato. Seu processo dura há seis meses, certo? Sim, eu ouvi falar. Um caso tão recente! Mas eu já pensei em todas essas coisas um sem-número de vezes, para mim são as coisas mais óbvias no mundo.

– Você deve estar contente que o seu processo já progrediu tanto, não? – perguntou K., que não queria perguntar diretamente como andavam os assuntos do comerciante, mas não recebeu resposta clara, de todo modo.

— Sim, venho trabalhando no meu processo faz cinco anos — respondeu o comerciante, afundando a cabeça. — Não é conquista pouca. — E ficou em silêncio por um tempinho.

K. prestou atenção para ver se Leni estava voltando. Por um lado, não queria que ela retornasse tão cedo, pois ainda tinha muitas perguntas para fazer ao comerciante, e não queria que ela o encontrasse nessa discussão íntima com ele, mas, por outro, irritava-lhe o fato de ela ficar tanto tempo com o advogado estando ele ali, muito mais do que o necessário para dar a sopa ao homem.

— Eu ainda me lembro exatamente — recomeçou o comerciante, e K. imediatamente lhe deu atenção total — de quando meu caso tinha o mesmo tempo que o seu. Eu só tinha um advogado na época, mas não estava muito satisfeito com ele.

"Agora você vai descobrir tudo", pensou K., assentindo vigorosamente, como se desse jeito pudesse encorajar o comerciante a dizer tudo que valesse a pena saber.

— Meu caso — prosseguiu o comerciante — não ia para a frente de jeito nenhum, houve umas audiências, e fui em todas elas, coletei material, entreguei todos os registros da minha empresa ao tribunal, o que descobri depois que foi inteiramente desnecessário, fui várias vezes ao advogado, e ele enviou vários documentos ao tribunal também...

— Vários documentos? — K. perguntou.

— Sim, isso mesmo — respondeu o comerciante.

— Isso é muito importante para mim. No meu caso, ele ainda está elaborando o primeiro conjunto de documentos. Ainda não fez nada. Vejo agora que ele tem me negligenciado muito, é uma desgraça.

— Pode haver um monte de bons motivos para que os primeiros documentos ainda não estejam prontos, e, de qualquer maneira, acabou que os que ele enviou por mim foram totalmente inúteis. Eu mesmo li um deles, um dos funcionários da corte foi muito solícito. O documento tinha muitos dados, mas na verdade não dizia nada. Em geral, havia muito latim, que eu não entendo, e páginas e páginas de apelações gerais ao tribunal, depois muitas lisonjas para determinados funcionários, que não eram nomeados, mas qualquer um que conheça a corte poderia adivinhar quem eram, depois vinha a autoapreciação do advogado, na qual ele se humilhava para a corte da pior das maneiras, e depois intermináveis investigações de casos do passado que aparentemente eram similares ao meu. Embora, até onde fui capaz de acompanhar, essas investigações tenham sido conduzidas com muito cuidado. Não é minha intenção criticar o trabalho do advogado com tudo isso, e o documento que eu li era apenas um de muitos, mas mesmo assim, e isso é algo que eu digo, naquela época eu não via progresso nenhum no meu processo.

– E que tipo de progresso esperava ter?

– Essa pergunta é bem complicada – respondeu o comerciante, com um sorriso. – E só que é muito raro ver progresso nesses procedimentos. Mas eu não sabia disso na época. Sou um comerciante, muito mais naquela época do que agora, eu queria ver progresso tangível, as coisas deviam estar se movendo para uma conclusão, ou pelo menos deviam estar caminhando de algum modo, de acordo com as regras. Em vez disso, havia apenas mais e mais audiências, e a maioria percorria as mesmas coisas; eu sabia todas as respostas de cor, como numa missa; vinham mensageiros do tribunal até a empresa várias vezes na semana, ou vinham à minha casa ou onde mais pudessem me encontrar; e tudo isso era muito incômodo, claro (mas pelo menos agora as coisas melhoraram nesse sentido, é muito menos incômodo quando o contatam pelo telefone), e rumores sobre o meu processo começaram a se espalhar entre algumas das pessoas com as quais faço negócios, e principalmente minhas relações, então me faziam sofrer de muitas maneiras, mas não havia ainda nem sinal de que a primeira audiência ocorreria. Então fui ao advogado e reclamei disso. Ele explicou tudo com muito detalhe, mas se recusou a fazer qualquer coisa que pedi, ninguém tem influência no modo com que o processo progride, ele disse, e tentar insistir nisso, nos documentos enviados, como eu pedia, era algo de que não se ouvira falar e apenas prejudicaria a ele e a mim. Pensei comigo: "O que esse advogado não pode ou não vai fazer, outro advogado vai". Então, fui procurar outros advogados. E antes que você diga qualquer coisa: nenhum deles pediu uma data definitiva para o julgamento, e nenhum conseguiu uma data, e enfim, tirando uma única exceção da qual vou falar num minuto, é realmente impossível, isso é algo em que esse advogado não me enganou; mas, além do mais, não tive motivo algum para me arrepender de procurar outros advogados. Talvez já tenha ouvido como o Dr. Huld fala sobre os advogados inferiores, ele com certeza os fez parecer bem desprezíveis para você, e tem razão, são desprezíveis. Mas, quando ele fala sobre eles e os compara consigo e com seus colegas, existe um pequeno equívoco no que ele diz, e, apenas para o seu bem, vou contar-lhe. Quando ele fala sobre os advogados com que lida, ele os destaca, chamando de "grandes advogados". Mas está errado, qualquer um pode dizer que é "grande" se quiser, claro, mas nesse caso, somente o uso da corte pode fazer essa distinção. Veja, a corte sempre diz que além dos advogados inferiores há também os advogados menores e os grandes advogados.

Esse e os colegas dele são apenas advogados menores, e a diferença de posição entre eles e os grandes advogados, dos quais eu apenas ouvi falar e nunca vi, é incomparavelmente maior do que entre os advogados menores e os desprezados advogados inferiores.

– Os grandes advogados? – perguntou K. – Quem são eles? Como faço para contatá-los?

– Nunca ouviu falar deles, então? – perguntou o comerciante. – Não tem quase ninguém que foi acusado e não perde muito tempo sonhando com os grandes advogados depois que ouve falar deles. É melhor não se deixar perder-se por esse caminho. Não sei quem são os grandes advogados, e provavelmente não há como contatá-los. Não sei de nenhum caso do qual possa falar com certeza no qual tomaram parte. Eles defendem um monte de gente, mas, como não é possível encontrá-los por conta própria, eles só defendem quem eles querem defender. E não suponho que aceitem casos que já não tenham passado pelos tribunais inferiores. Enfim, o melhor é não pensar neles, já que, se o fizer, as conversas com os outros advogados, todos os conselhos deles e tudo o que conseguem realizar passa a soar muito desagradável e inútil, eu mesmo passei por isso, só queria jogar tudo para o alto e ficar em casa, deitado na cama, sem ouvir mais dessas coisas. Mas isso, claro, é a coisa mais idiota a se fazer, e não deixam que a gente passe muito tempo tranquilo na cama.

– Então não pensava nos grandes advogados nessa época? – perguntou K.

– Não por muito tempo – respondeu o comerciante, e tornou a sorrir. – Não tem como se esquecer deles por completo, creio eu, principalmente à noite, quando essas ideias nos vêm tão facilmente. Mas eu queria resultados imediatos naquela época, então fui procurar os advogados inferiores.

– Ora, vejam só vocês dois sentados juntos! – exclamou Leni, tendo retornado com a tigela, parada na porta.

De fato, estavam sentados muito perto, se algum deles virasse um pouco que fosse a cabeça, acertaria a do vizinho, o comerciante não apenas era muito pequeno, mas também se sentava meio corcunda, então K. foi forçado a curvar-se também para ouvir tudo.

– Ainda não! – retrucou K., para dispensar Leni, com a mão ainda pousada sobre a do comerciante, trêmulo de impaciência.

– Ele queria que eu falasse sobre o meu processo – explicou o comerciante a Leni.

– Continuem, continuem – insistiu ela.

Leni falava com o comerciante com afeto, mas, ao mesmo tempo, com condescendência. K. não gostou nada disso, começara a ver que o homem tinha certo valor, afinal, tinha experiência, pelo menos, e estava disposto a partilhá-la. Leni devia estar enganada com relação a ele. Com irritação, ele ficou vendo quando Leni tomou a vela da mão do comerciante – que ele estivera segurando esse tempo todo –, limpou a mão dele com o avental e ajoelhou-se ao seu lado para raspar um pouco da cera que pingara da vela nas calças dele.

– Você estava para me falar dos advogados inferiores – solicitou K., afastando a mão de Leni sem comentar nada.

– Que tem de errado com você hoje? – perguntou a moça, dando-lhe um tapinha de leve, e continuou com o que fazia.

– Sim, os advogados inferiores – concordou o comerciante, levando a mão à testa, como se fizesse muito esforço para pensar.

K. quis ajudá-lo, então disse:

— Você queria resultados imediatos, então foi procurar os advogados inferiores.

— Sim, isso mesmo — explicou o comerciante, mas não continuou com o que dizia.

"Talvez ele não queira falar na frente da Leni", pensou K., suprimindo a impaciência de querer ouvir o resto imediatamente, e parou de tentar pressioná-lo.

— Já falou ao advogado que estou aqui? — perguntou a Leni.

— Claro que já — respondeu ela. — Está esperando por você. Deixe o Block em paz, agora, pode falar com ele depois, não vai a lugar algum.

K. hesitou mesmo assim.

— Não vai a lugar algum mesmo? — perguntou ao comerciante, querendo ouvir a resposta dele, não querendo que Leni falasse do comerciante como se ele não estivesse ali, estava cheio de um ressentimento velado por Leni nesse dia.

E mais uma vez foi apenas a moça quem respondeu.

— Ele costuma dormir aqui.

— Ele dorme aqui? — exclamou K., que pensara que o comerciante fosse apenas esperar por ele ali, por um tempo, enquanto acertava seus assuntos com o advogado, e depois partiriam juntos para discutir tudo com mais detalhe, sem perturbações.

— Sim — respondeu Leni. — Nem todo mundo é como você, Josef, que pode ver o advogado a hora que deseja. Nem parece surpreso de o advogado, apesar de estar doente, mesmo assim recebê-lo às onze da noite. Você não valoriza nada daquilo que seus amigos fazem pela sua pessoa. Bom, seus amigos, ou pelo menos eu, gostamos de ajudá-lo. Não quero, nem preciso de mais agradecimento. O que importa é que goste de mim.

"Gostar de mim?", K. pensou primeiro, e então lhe ocorreu que "Sim, sim, eu gosto dela". Não obstante, o que disse, pondo de lado todo o restante, foi:

– Ele vai me receber porque sou cliente dele. Se eu precisasse da ajuda de qualquer outro, teria de implorar e mostrar gratidão sempre que fizesse alguma coisa.

– Hoje ele está impossível, não? – Leni perguntou ao comerciante.

"Agora sou eu quem não está mais aqui", pensou K., e quase perdeu a compostura com o comerciante quando, com a mesma rudeza que Leni, ele disse:

– O advogado tem também outros motivos para recebê-lo. O caso dele é muito mais interessante do que o meu. E está somente nos estágios iniciais, provavelmente não progrediu muito, então o advogado ainda gosta de lidar com ele. Isso vai mudar, mais para a frente.

– Sim, sim – concordou Leni, olhando para o comerciante e rindo. – Como ele fala! – exclamou ela, virando-se para K. – Não pode acreditar numa palavra que ele diz. É tão falante quanto é doce. Talvez seja por isso que o advogado não o suporta. Pelo menos, só o recebe quando está de bom humor. Já fiz de tudo para mudar isso, mas é impossível. Pense só, tem vezes em que digo que Block está aqui e ele só o recebe três dias depois. E se Block não está a postos quando é chamado, então está tudo perdido, tem que começar tudo outra vez. É por isso que deixo Block dormir aqui, não seria a primeira vez que o Dr. Huld quis vê-lo à noite. Então, agora Block está pronto para isso. Às vezes, quando sabe que Block ainda está aqui, ele até muda de ideia quanto a deixá-lo entrar para conversarem.

K. olhou de modo inquisidor para o comerciante. Ele concordou e, embora falasse bem abertamente com K. antes, pareceu confuso e envergonhado quando comentou:

– Sim, com o tempo você vai ficar muito dependente do seu advogado.

– Ele só está fingindo que se incomoda – explicou Leni. – Ele gosta bastante de dormir aqui, já comentou isso várias vezes.

Ela foi até uma portinha e abriu com tudo.

– Quer ver o quarto dele? – perguntou.

K. foi até o quarto baixo, sem janela, e olhou lá para dentro, da porta. O quarto continha uma cama estreita que o preenchia por completo, de modo que para entrar no quarto era preciso passar por cima dela. Acima da cabeceira da cama havia um nicho na parede no qual, organizados de maneira entediante, havia uma vela, uma garrafinha de tinta e uma caneta com um monte de papéis que provavelmente tinham a ver com o processo.

– Você dorme num quarto de empregada? – perguntou K., quando retornou ao comerciante.

– Leni me deixou ficar com ele – respondeu o homem. – Tem muitas vantagens.

K. fitou-o por um bom tempo; a primeira impressão que tivera do comerciante talvez não estivesse certa. Ele tinha experiência pelo que passara em seu processo, que já durava fazia muito tempo, e pagara um preço alto por essa experiência. Subitamente, K. não pôde mais suportar olhar para o comerciante.

– Ponha-o para dormir, então! – sugeriu ele a Leni, que pareceu entender.

Quanto a ele, queria ir falar com o advogado e, dispensando-o, libertar-se não somente dele, mas também de Leni e do comerciante. Mas, antes que pudesse chegar à porta, o comerciante falou com ele gentilmente.

– Desculpe, senhor – pediu, e K. olhou para ele contrariado. – Você se esqueceu da sua promessa – disse o comerciante, estendendo a mão para K. como se implorando, ainda sentado na cadeira. – Ia me contar um segredo.

– Isso é verdade – concordou K., olhando para Leni, que o observava com atenção, para checar. – Bem, escute; nem é tão secreto assim, afinal. Vou falar com o advogado para demiti-lo.

– Vai demiti-lo! – berrou o comerciante, e pulou da cadeira e correu ao redor da cozinha, de braços para o alto. E continuou gritando: – Ele vai demitir o advogado!

Leni tentou correr para K., mas o comerciante entrou no caminho, e ela teve de empurrá-lo com os punhos. Ainda de punhos cerrados, correu atrás de K., que, contudo, tinha saído muito antes. Ele já estava dentro da sala do advogado quando Leni o alcançou. Já quase fechara a porta, mas Leni a manteve aberta com o pé, agarrou-o pelo braço e tentou puxá-lo de volta. Mas ele pôs tanta pressão no punho dela que, com um suspiro, ela foi forçada a soltá-lo. Leni não ousou entrar na sala logo em seguida, então K. aproveitou e a trancou.

– Estou esperando-o faz um bom tempo – apontou o advogado, da cama.

Estivera lendo algo à luz de uma vela, mas deitou o livro no criado-mudo e pôs os óculos na cara, olhando afiado para K. através das lentes. Em vez de desculpar-se, K. disse:

– Logo eu vou embora.

Como ele não se desculpara, o advogado ignorou o que K. dissera e respondeu:

– Não vou deixar que entre tão tarde assim na próxima vez.

– Acho isso bastante aceitável – concordou K.
O advogado lançou-lhe um olhar confuso.
– Sente-se – convidou ele.
– Como quiser – retrucou K., arrastou uma cadeira até a cama e se sentou.
– Pareceu-me que você trancou a porta – colocou o advogado.
– Sim – concordou K. –, por causa da Leni.
Não tinha intenção de deixar que ninguém se safasse. Mas o advogado perguntou:
– Ela está sendo inoportuna de novo?
– Inoportuna? – perguntou K.
– Sim – explicou o advogado, rindo ao falar, teve um acesso de tosse e depois, tendo este passado, começou a rir novamente. – Com certeza, já notou como ela pode ser inoportuna às vezes – disse, e deu um tapinha na mão que K. pousara no criado-mudo e que correu puxar para trás. – Você não se incomoda muito, então – comentou o advogado, visto que K. ficou em silêncio. – Bem melhor assim. Do contrário, eu talvez teria que pedir desculpas. É uma particularidade de Leni. Há muito que lhe perdoei por isso, e eu não o mencionaria agora se não tivesse acabado de trancar a porta. Enfim, talvez eu devesse pelo menos lhe explicar essa peculiaridade dela, mas parece muito perturbado, pelo jeito com que me olha, então é por isso que vou explicar, essa peculiaridade dela consiste nisto: Leni acha a maioria dos acusados atraente. Ela se apega a cada um deles, ama cada um deles, parece até ser amada por cada um deles; e às vezes me entretém falando deles, quando lhe permito que o faça. Não fico tão admirado com tudo isso, como você parece estar. Se olhar para eles do jeito certo, os acusados podem mesmo ser atraentes, é muito comum. Mas esse é um fenômeno incrível e, até certo

ponto, científico. Ser indiciado não causa nenhuma mudança clara, precisamente definível, na aparência da pessoa, claro. Mas não é como em outras questões legais, a maioria permanece com o estilo de vida de sempre e, se tem um bom advogado para cuidar deles, o processo não os atrapalha. Mas há pessoas, não obstante, que têm experiência nessas questões e podem olhar para uma multidão, por maior que seja, e dizer-lhe quem entre ela está enfrentando uma acusação. Como fazem isso, você vai querer saber. Minha resposta não lhe agradará. É simplesmente que aqueles que enfrentam uma acusação são os mais atraentes. Não pode ser a culpa o que faz deles atraentes, posto que nem todos são culpados. Pelo menos isso é o que eu, que sou advogado, tenho de dizer. E também não pode ser a punição adequada que os torna atraentes, visto que nem todos são punidos, então só pode ser que os procedimentos impostos sobre eles exerçam certo tipo de controle. Seja por qual motivo, algumas dessas pessoas atraentes são de fato muito atraentes. Mas todos são atraentes, até Block, o pobre verme que é.

Quando o advogado terminou o que dizia, K. estava totalmente sob controle, até concordara conspicuamente com as últimas palavras para confirmar para si mesmo a visão que já tinha formado, de que o advogado estava tentando confundi-lo, como sempre, fazendo observações gerais e irrelevantes, assim distraindo K. da questão principal: o que estava fazendo pelo processo. O advogado devia ter percebido que K. estava oferecendo mais resistência do que antes, e então, como ele permanecera calado, perguntou:

— Você tem algum motivo em especial para vir falar comigo hoje?

– Sim – respondeu K., erguendo a mão para cobrir os olhos da luz da vela e assim poder enxergar melhor o advogado. – Queria dizer que vou lhe retirar minha defesa a partir de agora.
– Eu entendi direito? – perguntou o advogado, erguendo-se da cama, apoiado com uma das mãos no travesseiro.
– Creio que sim – respondeu K., endireitando-se na cadeira, como se suspeitasse de uma emboscada.
– Ora, certamente podemos discutir esse seu plano – disse o advogado, após uma pausa.
– Não é mais um plano – afirmou K.
– Pode até ser – retrucou o advogado –, mas mesmo assim nós não devemos apressar nada.
Ele usou a palavra "nós", como se não tivesse a menor intenção de libertar K., e como se, mesmo que não pudesse mais representá-lo, pudesse pelo menos continuar atuando como seu conselheiro.
– Não estamos apressando nada – explicou K., levantando-se lentamente e passando para trás da cadeira. – Tudo foi muito bem pensado, e talvez por tempo demais. A decisão está tomada.
– Então me permita dizer algumas palavras – sugeriu o advogado, jogando a coberta para o lado e sentando-se na beirada da cama.
Suas pernas nuas, com os pelos brancos, tremiam de frio. Ele pediu a K. que lhe passasse um cobertor que estava no sofá. K. passou-lhe o cobertor e disse:
– Está correndo risco de pegar um resfriado sem ter motivo.
– As circunstâncias são importantes, no entanto – concluiu o advogado, enrolando a coberta na metade de cima do corpo e o cobertor nas pernas. – Seu tio é meu amigo, e ao

longo do tempo eu me afeiçoei a você também. Admito-o bem abertamente. Não há por que me envergonhar disso.

Foi muito incômodo para K. ouvir o homem falar desse modo tão tocante, pois isso o forçava a explicar-se mais detalhadamente, algo que teria preferido evitar, e estava ciente de que o confundia ainda mais, embora jamais poderia fazê-lo reverter a decisão.

– Obrigado por ser tão amigável comigo – agradeceu ele. – E entendo também quão profundamente se envolveu com o caso, o mais profundamente que pôde, no intuito de trazer o máximo de vantagens para mim. Não obstante, recentemente cheguei à conclusão de que não basta. Naturalmente, eu jamais tentaria, considerando que você é muito mais velho e vivenciado que eu, convencê-lo da minha opinião; se em algum momento eu o fiz sem intenção, imploro que me perdoe, mas, como acabou de dizer, as circunstâncias são importantes o bastante, e creio que o meu processo precisa ser abordado com muito mais vigor do que tem de fato acontecido.

– Entendo – comentou o advogado. – Você ficou impaciente.

– Não estou impaciente – replicou K., com certa irritação, e parou de prestar tanta atenção à escolha das palavras. – Quando vim aqui pela primeira vez, com o meu tio, você deve ter notado que eu não estava lá tão preocupado com o meu caso, e se não fosse lembrado dele à força, como acontecia, acabava me esquecendo dele por completo. Mas meu tio insistiu que eu devia deixar que me representasse, e eu o fiz como um favor a ele. Eu esperava que o caso deixasse de ser um fardo, como fora, já que o motivo de contratar um advogado é para que ele pegue um pouco do peso para si. Mas o que aconteceu, na verdade, foi o oposto. Antes, o processo não era tão preocupante para mim quanto passou a ser depois que você começou a me representar. Quando estava sozinho, eu nunca fazia nada pelo caso, mal tinha ciência dele, mas depois, quando alguém passou a me representar, tudo foi arranjado para que algo acontecesse, eu passei a ficar sempre, sem cessar, esperando que fizesse alguma coisa, tornando-me cada vez mais tenso, mas o senhor não fez nada. Consegui, sim, um pouco de informações sobre a corte, que provavelmente não teria obtido de outra forma, mas isso não pode ser suficiente quando o julgamento, supostamente em segredo, está chegando cada vez mais perto de mim.

K. tinha posto a cadeira de lado e estava de pé, com as mãos nos bolsos da jaqueta.

– Após certo ponto, nos procedimentos – o advogado disse, num tom baixo e tranquilo –, nada de novo e importante acontece. Tantos litigantes, no mesmo estágio de seus processos, estiveram à minha frente, como o senhor está agora, e disseram a mesma coisa.

– Então esses outros litigantes estavam todos com a razão, assim como eu. Isso não mostra o contrário – concluiu K.

– Eu não estava tentando mostrar que você está errado – explicou-se o advogado –, mas queria acrescentar que esperava melhor julgamento da sua parte que de outros, especialmente porque lhe dei mais informações sobre o funcionamento do tribunal e das minhas próprias atividades do que costumo fazer. E agora sou forçado a aceitar que, apesar de tudo, também tem pouca confiança em mim. Assim não fica nada fácil.

Como o advogado humilhava-se perante K.! Não mostrava consideração alguma para com a dignidade de sua situação, que, a essa altura, devia ser das mais sensíveis. E por que fazia isso? Parecia muito ocupado enquanto advogado, e parecia ser rico, nem a perda de renda nem a de um cliente teria muita importância para ele. Estava, ademais, adoentado, e devia considerar passar um pouco de trabalho para os outros. E, apesar de tudo isso, agarrava-se com firmeza a K. Por quê? Seria algo pessoal, em prol do tio, ou ele realmente considerava o caso de K. excepcional e esperava poder destacar-se com ele, para o bem de K. – e essa possibilidade não poderia ser excluída jamais – ou para o bem de seus amigos da corte? Não havia como descobrir nada disso apenas olhando para o homem, ainda que K. o avaliasse de modo muito descarado. Poder-se-ia até supor que ele escondia deliberadamente seus pensamentos enquanto esperava pelo efeito que suas palavras teriam. Mas ele obviamente considerava o silêncio de K. favorável para si mesmo, e prosseguiu:

– Você deve ter notado o tamanho do meu escritório e o fato de que, no entanto, não emprego ninguém para me ajudar. Isso era diferente antes, houve um tempo em que diversos advogados jovens trabalhavam para mim, mas agora trabalho sozinho. Isso em parte ocorreu pelas mudanças no modo como trabalho, pelo fato de que, atualmente, concentro-me cada vez mais em casos como o seu, e em parte pela compreensão cada vez mais profunda que adquiro com esses assuntos legais. Concluí que jamais poderia deixar que qualquer outra pessoa lidasse com esse tipo de trabalho a não ser que eu quisesse prejudicar o cliente e o trabalho que aceitara. Mas a decisão de fazer todo o trabalho sozinho teve um resultado óbvio: fui forçado a recusar praticamente todo mundo que me procurava para representar e pude aceitar somente aqueles em que me interessava especialmente. Bom, tem um monte de criaturas que saltam em cada migalha que jogo por aí, e não estão muito longe. Mais importante ainda: fiquei doente de tanto trabalhar. Apesar disso, porém, não me arrependo da minha decisão. Devia ter recusado mais casos do que recusei, mas isso acabou sendo inteiramente necessário para que eu pudesse me devotar aos casos que pegava, e os resultados de sucesso mostraram que valia a pena. Certa vez, li uma descrição da diferença entre representar alguém em questões legais ordinárias e questões legais desse tipo, e o escritor expressou-se muito bem. Foi isto que ele disse: alguns advogados guiam seus clientes pela coleira até passado o julgamento, mas há outros que imediatamente colocam os clientes nos ombros e os carregam durante todo o processo e além. É assim que funciona. Mas é bem verdade quando digo que não me arrependo de ter todo esse trabalho. Mas se, como no seu caso, ele for totalmente incompreendido, bem, então eu chego muito perto de me arrepender.

Toda essa falação contribuiu para que K. ficasse ainda mais impaciente do que para persuadi-lo de qualquer coisa. Do modo como o advogado falava, K. achou que estava ouvindo o que podia esperar caso cedesse, os atrasos e as desculpas começariam novamente, relatórios sobre como progrediam os documentos, como o humor dos funcionários da corte melhorava, bem como todas as enormes dificuldades – em resumo, tudo o que ouvira tantas vezes antes seria levantado mais uma vez, ele tentaria ludibriar K. com esperanças que nunca eram especificadas e fazê-lo sofrer com ameaças que nunca ficavam muito claras. Era preciso pôr um fim nisso, então ele disse:

– O que fará em meu benefício se continuar me representando?

O advogado aceitou calado essa pergunta insultante e respondeu:

– Continuarei fazendo o que fiz até agora por você.

– Foi isso mesmo que eu pensei – comentou K. – E agora não precisa dizer mais nenhuma palavra.

– Eu farei mais uma tentativa – explicou o advogado, como se aquilo que incomodava K. também o afetasse. – Veja, eu tenho a impressão de que não somente entendeu mal a assistência legal que venho dando, como também que essa incompreensão o fez comportar-se dessa maneira, parece que, embora seja o acusado, tem sido tratado bem demais, ou, dizendo de outra maneira, conduzido com negligência, com aparente negligência. Até mesmo isso tem razão de ser: em geral, é melhor estar acorrentado que ser livre. Mas eu gostaria de mostrar-lhe como outros acusados são tratados, quem sabe consiga aprender algo com isso. O que farei é chamar Block, destrancar a porta e sentar-me ao lado da mesa.

– Fique à vontade – disse K., e fez como o advogado sugeriu. Estava sempre pronto a aprender coisas novas. Mas, para garantir, acrescentou: – Mas você entende que não será mais meu advogado, certo?

– Sim – respondeu o advogado. – Mas ainda pode mudar de ideia hoje, se quiser.

Ele se deitou na cama, puxou a coberta até o queixo e virou-se para a parede. Depois tocou a campainha.

Leni apareceu quase no momento em que ele o fizera. Ela correu o olhar de K. para o advogado a fim de tentar descobrir o que acontecera, mas pareceu tranquilizar-se ao ver K. sentado tranquilo na cama do advogado. Ela sorriu e acenou para ele, que lhe devolveu um olhar frio.

– Chame o Block – pediu o advogado.

Em vez de buscar o comerciante, Leni apenas parou na porta e o chamou.

– Block! O advogado quer vê-lo!

Então, provavelmente porque o advogado estava de cara para a parede e não prestava atenção, ela passou para detrás da cadeira de K. A partir daí, ela o incomodou debruçando-se em cima do encosto da cadeira ou, embora terna e cuidadosamente, passando os dedos pelos cabelos e as bochechas dele. K. acabou tentando impedi-la segurando-lhe a mão, e após certa resistência ela permitiu que ele a segurasse. Block veio assim que foi chamado, mas permaneceu parado na porta, e parecia perguntar-se se deveria ou não entrar. Ele ergueu as sobrancelhas e baixou a cabeça, como se esperasse ouvir que a ordem de ir ter com o advogado seria repetida. K. poderia tê-lo encorajado a entrar, mas decidira fazer um rompimento final não somente com o advogado, mas com tudo o que tinha naquela casa, então ficou imóvel. Leni também ficou em silêncio. Block notou que, pelo menos, ninguém o mandava embora, então, nas pontas dos pés, entrou no quarto, com o rosto tenso, as mãos presas atrás das costas. Deixara a porta aberta, para o caso de ter de voltar lá para fora. K. nem olhou para ele, olhava somente para a coberta grossa debaixo da qual o advogado não podia ser visto, estando tão espremido contra a parede. Então, a voz dele foi ouvida:

– Block está aqui? – ele perguntou.

Block já tinha se arrastado para dentro do quarto, mas a pergunta pareceu dar-lhe um empurrão no peito e depois nas costas, ele pareceu prestes a cair, mas permaneceu de pé, muito curvado, e disse:

– Ao seu serviço, senhor.

– O que quer? – perguntou o advogado. – Veio em má hora.

– Não fui chamado? – Block perguntou, mais para si que para o advogado.

Ele erguera as mãos à frente, como se para proteger-se, e estava pronto para fugir a qualquer momento.

– Você foi chamado, mas mesmo assim veio em má hora.

– Após uma pausa, o advogado acrescentou: – Você sempre vem em má hora.

Quando o advogado começou a falar, Block já não olhava mais para a cama, mas sim para um dos cantos, apenas ouvindo, como se a luz do falante fosse mais brilhante do que ele suportava ver. Mas estava difícil também de escutar, pois que o advogado falava para a parede e falava rápido e baixinho.

– Gostaria que eu me fosse, senhor? – perguntou Block.

– Bem, você já está aqui – respondeu o advogado. – Fique!

Foi como se advogado não fizera o que Block esperava, mas o ameaçara com uma vara, visto que o homem começou a se tremer todo.

– Eu fui ver – explicou o advogado – o terceiro juiz ontem, amigo meu, e fui aos poucos levando a conversa para o seu assunto. Quer saber o que ele disse?

– Ah, sim, por favor.

O advogado não respondeu imediatamente, então Block repetiu o pedido e baixou a cabeça, como se prestes a ficar de joelhos. Mas então K. gritou:

– O que acha que está fazendo?

Leni tentou fazer com que ele não falasse nada, então ele a segurou pela mão. Não foi o amor que o fez apertá-la e segurá-la com tanta força. Ela ficou suspirando e tentando libertar as mãos dele. Mas Block foi punido pelo disparate de K., pois o advogado perguntou-lhe:

– Quem é o seu advogado?

– É você, senhor – respondeu Block.

– Quem, além de mim?

– Ninguém além de você, senhor.

– E que não haja ninguém além de mim – comentou o advogado.

Block entendeu muito bem o significado, ele olhou feio para K. e começou a sacudir violentamente a cabeça. Se as ações fossem traduzidas em palavras, teriam sido insultos muito grosseiros. E pensar que K. fora amigável e estivera disposto a falar de seu caso com alguém como ele!

– Não incomodarei mais – justificou K., recostando-se na cadeira. – Pode ajoelhar-se ou ficar de quatro, como quiser. Não incomodarei mais.

Contudo, Block ainda tinha um pouco de orgulho, pelo menos no que tangia a K., e foi para cima dele brandindo os punhos, berrando o mais alto que se permitia na presença do advogado.

– Você não devia falar assim comigo, isso não é permitido. Por que está me insultando? Principalmente aqui, na frente do advogado, onde nós dois somos tolerados somente pela caridade dele. Você não é melhor que eu, também foi acusado de algo, também enfrenta uma acusação. Se, apesar disso, continua sendo um cavalheiro, eu também sou tão cavalheiro quanto, se não for mais. E quero que falem comigo como a um cavalheiro, principalmente você. Se acha que poder ficar aí sentado ouvindo enquanto eu fico de quatro, como diz, torna-o uma pessoa melhor do que eu, pois existe um antigo ditado legal que devia ter em mente: se está sob suspeita, é melhor mexer-se do que ficar parado, pois, se ficar parado, pode ser posto na balança sem saber e ser medido junto a seus pecados.

K. não se pronunciou. Apenas olhava, admirado, para aquele ser confuso, com um olhar totalmente impassível. Passara por tantas mudanças em questão de poucas horas! Seria o processo que o jogava de um lado a outro desse jeito e o impedia de ver quem era amigo e quem era inimigo? Não enxergava que o advogado o humilhava deliberadamente e não tinha outro propósito nesse dia além de demonstrar seu poder a K., e talvez desse modo subjugá-lo? Mas se Block era incapaz de enxergar isso, ou se temia tanto o advogado que essa constatação jamais lhe seria útil, como podia ele ser tão astuto ou corajoso para mentir para o advogado e esconder dele o fato de que tinha outros advogados trabalhando em seu benefício? E como ousava atacar K., que podia entregar o segredo dele assim que quisesse? Mas ele ousou ainda mais, foi até a cama do advogado e começou a reclamar de K.

— Dr. Huld, o senhor ouviu o modo como esse homem falou comigo? Pode-se contar a duração do processo dele em horas, e ele quer me dizer o que fazer, estando eu envolvido com um caso há cinco anos. É um insulto. Ele não sabe de nada, mas me insulta, quando eu, até onde minha fraca habilidade permite, quando eu fiz um estudo atencioso de como se comportar no tribunal, o que se deve fazer e como são as práticas da corte.

— Não deixe que ninguém o incomode – sugeriu o advogado. – E faça o que lhe parece certo.

— Eu o farei – concordou Block, como falasse consigo para ter coragem, e com uma olhadela rápida de lado ele se ajoelhou ao lado da cama. – Estou ajoelhado, Dr. Huld.

Contudo, o advogado permaneceu em silêncio. Com uma mão, Block acariciou cuidadosamente a coberta. No silêncio enquanto ele fazia isso, Leni, tendo se libertado das mãos de K., disse:

— Está me machucando. Solte-me. Vou juntar-me a Block.

Ela foi até ele e sentou-se na beirada da cama. Block ficou muito contente com isso e, com gestos vívidos, porém silenciosos, urgiu-lhe que intercedesse por ele junto ao advogado. Ficou claro que precisava desesperadamente que o juiz lhe dissesse algo, embora talvez apenas para que pudesse fazer uso da informação com seus outros advogados. Leni devia saber muito bem como o advogado podia ser contornado: ela apontou para a mão dele e juntou os lábios como se fosse dar um beijo. Block imediatamente executou o beijo na mão e, sendo urgido adiante por Leni, repetiu o beijo mais duas vezes. Mas o advogado continuou em silêncio. Então Leni inclinou-se sobre ele, mostrando a forma atraente do corpo ao esticar-se e, bem junto do rosto dele, afagou-lhe o comprido cabelo branco. Isso o forçou a dar uma resposta.

– Estou com muito receio de dizer-lhe – explicou o advogado, e sua cabeça pôde ser vista se mexendo, talvez para que ele pudesse sentir melhor a pressão da mão de Leni.

Block ouvia a tudo com muita atenção, de cabeça baixa, como se ouvir fosse contra alguma ordem.

– Por que está tão receoso? – Leni perguntou.

K. teve a sensação de que ouvia um diálogo inventado que seria repetido ainda muitas vezes, que seria repetido ainda mais, e que somente para Block ele jamais perderia o frescor.

– Como foi o comportamento dele hoje? – o advogado perguntou, em vez de responder.

Antes de dizer qualquer coisa, Leni olhou para Block e o observou por alguns instantes, enquanto o comerciante juntava as mãos e as esfregava, como se implorando por algo. Finalmente, ela fez um aceno sério, voltou-se para o advogado e disse:

– Ele tem sido calmo e diligente.

Aquele era um velho comerciante, um homem de barba longa, e estava implorando a uma jovem que falasse em seu benefício. Mesmo que houvesse algum plano por trás de seus atos, não havia nada que pudesse recuperar a imagem dele perante o outro. K. não entendia como o advogado acreditara que essa encenação toda pudesse convencê-lo de qualquer coisa. Mesmo que não tivesse feito nada antes que o fizesse querer ir embora, essa cena o teria feito. Foi quase humilhante até para o espectador. Então eram esses os métodos do advogado, a que K., felizmente, não fora exposto por muito tempo: deixar o cliente esquecer-se do mundo todo e deixá-lo com nada além da esperança de chegar ao fim do processo por seus meios enganosos. Não era mais cliente, era o cachorro do advogado. Se o advogado lhe ordenasse que rastejasse para debaixo da cama como se fosse um canil e latisse lá debaixo, o comerciante o teria feito com entusiasmo. K. ouvia tudo aquilo, testando e pensando em tudo como lhe fora dada a tarefa de observar atentamente tudo o que era dito ali, informar um funcionário de alto escalão do ocorrido e escrever um relatório.

– E o que ele tem feito o dia todo? – perguntou o advogado.

– Eu o mantive trancado no quarto de empregada o dia todo – explicou Leni – para que ele não me impedisse de fazer o meu trabalho. É lá que ele costuma ficar. De vez em quando eu dei uma olhada pelo buraco da fechadura para ver o que ele fazia, e toda vez ele estava ajoelhado na cama, lendo os papéis que o senhor lhe dera, apoiado no peitoril da janela. Isso me causou boa impressão, visto que a janela abre-se apenas para um duto de ar e quase não oferece luz. Mostrou quão obediente ele é, lendo até nessas condições.

– Fico contente em saber disso, mas ele entendeu o que lia? – questionou o advogado.

Enquanto durava essa conversa, Block continuamente mexia os lábios, obviamente formulando as respostas que esperava que Leni desse.

– Bom, não posso dar-lhe resposta certeira a isso, claro – respondeu Leni. – Mas eu vi que ele lia com muito cuidado. Passou o dia todo lendo a mesma página, passando o dedo pelas linhas. Toda vez que eu o via, ele suspirava, como se a leitura lhe desse muito trabalho. Imagino que os papéis que você lhe deu são muito difíceis de entender.

– Sim – afirmou o advogado –, certamente são. Realmente, não creio que ele tenha entendido alguma coisa. Mas pelo menos devem ter dado a ele uma noção de quanto eu me esforço e de quão trabalhoso é para mim defendê-lo. E para quem estou fazendo todo esse trabalho duro? Estou fazendo, e é quase de se rir quando falo, estou fazendo por Block. Ele precisa entender o significado disso também. Ele estudou sem parar?

– Quase sem parar – Leni respondeu. – Só uma vez me pediu um copo de água, então lhe dei um pela janela. Depois, às oito, eu o deixei sair e dei-lhe algo de comer.

Block olhou de relance para K., como se estivesse sendo elogiado e tinha impressionado K. também. Parecia mais otimista, mexia-se com mais liberdade e gingava para a frente e para trás sobre os joelhos. Isso fez de sua admiração ainda mais óbvia quando ele ouviu as seguintes palavras do advogado:

– Você fala bem dele, mas é justamente isso que dificulta para mim. Veja, o juiz não falou nada de bom dele, nem de Block, nem do caso dele.

– Ele não falou bem dele? – perguntou Leni.

– Como isso é possível?

Block olhava para a moça com tanta tensão, que só podia estar pensando que, embora as palavras do juiz tivessem sido ditas fazia tanto tempo, ela ainda seria capaz de mudá-las a favor dele.

– Nem um pouco – disse o advogado. – Na verdade, ficou bem contrariado quando comecei a falar de Block para ele. "Não venha falar de Block comigo", comentou ele. "Ele é meu cliente", respondi. "Está deixando que ele abuse de você", ele repetiu. "Não acho", eu comentei. "Block trabalha duro no caso dele e sempre sabe em que pé que está. Ele, praticamente, mora comigo para poder sempre saber o que está acontecendo. Não se acha entusiasmo dele sempre. Ele não é lá muito agradável pessoalmente, eu garanto, tem maneiras horrendas e é sujo, mas no que tange ao processo é imaculado". Eu disse imaculado, mas estava deliberadamente exagerando. Então, ele disse: "Block é astuto, apenas. Acumulou bastante experiência e sabe como adiar os procedimentos. Mas há mais que ele não sabe do que sabe. O que acha que ele diria se soubesse que o processo dele ainda não começou, se lhe dissesse que ainda não tocaram a campainha para anunciar o início dos procedimentos?". Tudo bem, Block, tudo bem – falou o advogado, pois, ao ouvir as últimas palavras, o comerciante começara a se levantar, de joelhos trêmulos, claramente querendo implorar por alguma explicação.

Foi a primeira vez que o advogado disse palavras claras diretamente a Block. Ele mirou os olhos cansados para Block, meio sem enxergá-lo de todo, e o comerciante foi afundando para o chão sob esse olhar.

– O que o juiz disse não significa nada para você – explicou o advogado. – Não precisa ficar preocupado com nenhuma palavra. Se fizer isso de novo, não lhe conto mais nada. É impossível começar uma frase com você me olhando como se estivesse recebendo o julgamento final. Devia ter vergonha de si mesmo, aqui na frente do meu cliente! E está destruindo a confiança que ele tem em mim. O que é que quer, afinal? Ainda está vivo, ainda está sob a minha proteção. Não tem por que se preocupar! Em algum lugar, você leu que o julgamento final pode vir sem aviso, de qualquer um, a qualquer momento. E, nas circunstâncias certas, isso é basicamente verdade, mas também é verdade que eu não gosto da sua ansiedade e medo e vejo que não tem em mim a confiança que devia ter. Ora, o que foi que eu disse? Eu repeti algo dito por um dos juízes. Você sabe que há tantas opiniões diversas sobre o procedimento que se juntam numa grande pilha e ninguém consegue entender nada delas. Esse juiz, por exemplo, pensa que os procedimentos começam num ponto diferente do que eu acho. Uma diferença de opinião, nada mais. Em certo estágio dos procedimentos, a tradição ordena que se toque uma campainha. O juiz enxerga isso como o ponto em que os procedimentos começam. Não posso explicar aqui todas as opiniões que se opõem a essa visão, e você não entenderia, de qualquer maneira, mas basta dizer que há muitos motivos para discordar dele.

Envergonhado, Block passou os dedos pela pilha sobre o carpete. A ansiedade para com o que dissera o juiz o fizera esquecer-se de seu *status* inferior perante o advogado por um tempo, ele pensava apenas em si mesmo e ficou virando as palavras do juiz para examiná-las de todos os lados.

— Block — chamou Leni, como se o repreendendo. Ela o pegou pela gola do casaco e puxou um pouco para o alto. — Deixe o carpete e escute o que o advogado está dizendo.*

---

* Este capítulo não foi concluído.

CAPÍTULO NOVE
Na catedral.

Um correspondente italiano do banco dos mais importantes viera visitar a cidade pela primeira vez, e a K. foi dada a tarefa de mostrar-lhe alguns dos pontos turísticos. Em outra época, ele teria enxergado a oportunidade como uma honra, mas agora, quando andava achando difícil até manter sua posição atual no banco, e foi com relutância que ele a aceitou. Cada hora que não passava no escritório era causa de preocupação para ele, que não mais conseguia fazer uso do tempo passado no escritório como fazia anteriormente, perdia muitas horas apenas fingindo fazer atividades importantes, e tudo isso apenas aumentava a ansiedade por não estar no escritório. Às vezes, via o diretor assistente, que estava sempre de olho, entrar na sala, sentar-se na mesa dele, dar uma olhada em seus papéis, receber clientes que eram quase antigos amigos para K., e atraí-los para si, talvez até descobria erros, erros que pareciam ameaçar K. por mil lados quando estava no banco, algo que não mais podia evitar. Então agora, se lhe pediam que deixasse o banco a negócios ou tivesse de fazer uma pequena viagem, por mais honrado que parecesse – e tarefas desse tipo andavam aparecendo cada vez mais –, havia sempre a suspeita de que queriam tirá-lo da sala por um tempo para checar seu trabalho, ou pelo menos a ideia de que achavam que ele era dispensável. Não teria sido difícil para ele recusar boa parte dessas atividades, mas ele não ousava fazer isso, se seus medos tinham o menor fundamento, recusar essas atividades seria não as reconhecer direito. Por esse motivo, ele nunca se demorava em aceitá-las, e, mesmo quando lhe pediam que partisse numa cansativa viagem de dois dias, ele não reclamava nem um pouco de sair na chuva outonal mesmo estando resfriado, apenas para evitar o risco de que não lhe pedissem mais nada. Quando, com uma terrível dor de cabeça, voltou da viagem, ele descobriu que fora escolhido para acompanhar o correspondente italiano no dia seguinte. A tentação de recusar a tarefa foi imensa, principalmente por não ter conexão alguma com negócios, mas não havia como negar que obrigações sociais para com o correspondente eram, em si, bastante importantes, não somente para K., que sabia muito bem que precisava obter sucessos no trabalho se quisesse manter seu cargo lá, e que, se falhasse nisso, nada o ajudaria, nem mesmo se o italiano o achasse simpático. K. não queria ser removido do local de trabalho nem mesmo por um dia, pois o medo de não o deixarem voltar era grande demais. Sabia muito bem que o medo era puro exagero, mas mesmo assim ficava angustiado. Contudo, nesse caso, foi quase impossível pensar numa desculpa aceitável, sua noção de italiano não era das melhores, mas boa o suficiente; o fato decisivo fora que K. sabia um pouco de história da arte e isso se tornara exageradamente conhecido no banco, extremamente, e que K. fora membro da Sociedade de Preservação dos Monumentos da Cidade, embora apenas por motivos comerciais. Dizia-se que o italiano era amante das artes, então escolherem K. para acompanhá-lo fora bem plausível.

Fazia uma manhã muito chuvosa quando K., de mau humor por conta do dia que o aguardava, chegou cedo, às sete da manhã, ao escritório, para poder pelo menos trabalhar um pouco antes que o visitante o impedisse. Passara metade da noite estudando um livro de gramática italiana para estar minimamente preparado e estava muito cansado; a mesa pareceu-lhe menos atraente do que a janela na qual ele andara passando tempo demais sentado, mas ele resistiu à tentação e sentou-se a trabalhar. Infelizmente, nesse mesmo instante o assistente veio e relatou que o diretor o enviara para saber se o escriturário-chefe já estava na sala; se estivesse, que fizesse a gentileza de ir à recepção, pois o cavalheiro da Itália já estava lá.

– Vou agora mesmo – informou K.

Colocou um pequeno dicionário no bolso, um guia dos pontos turísticos da cidade debaixo do braço, algo que tinha juntado para visitantes, e passou pela sala do diretor assistente, indo para a do diretor. Estava contente por ter chegado ao escritório tão cedo, estando disponível para o serviço imediatamente, ninguém esperava isso dele mais. A sala do diretor assistente estava, claro, tão vazia quanto no meio da madrugada, o assistente provavelmente fora enviado para chamá-lo também, mas sem sucesso. Quando K. chegou à recepção, dois homens levantaram-se de poltronas baixas, nas quais estavam sentados. O diretor abriu um sorriso amigável, sentia-se claramente muito feliz por K. estar ali, imediatamente o apresentou ao italiano, que apertou vigorosamente a mão de K. e brincou dizendo que alguém ali era de acordar cedo. K. não entendeu muito bem a quem o homem se referia, considerou ademais a expressão estranha demais e demorou um pouco para entender. Ele respondeu com uma ou outra frase à toa, que o italiano recebeu mais uma vez com uma gargalhada, passando a mão nervosa e repetidamente pelo bigode fofo e grisalho. O bigode estava obviamente perfumado, foi quase tentador chegar perto para cheirar. Quando todos tinham se sentado e começado uma conversa preliminar, K. ficou desconcertado ao reparar que não entendia nada além de fragmentos do que dizia o italiano. Quando o homem falava calmamente, dava para entender quase tudo, mas isso quase não acontecia, em geral as palavras jorravam da boca dele e ele parecia estar se divertindo tanto que até sacudia a cabeça. Quando falava desse jeito, sua fala saía, em geral, envolvida em algum tipo de dialeto, que parecia a K. não ter relação alguma com italiano, mas o diretor não apenas entendia como também falava, embora K. devesse ter previsto isso, já que o italiano viera do sul do país, onde o diretor passara muitos anos. Fosse lá a causa, K. compreendeu que a possibilidade de comunicar-se com o italiano fora totalmente tirada dele; até mesmo o francês do homem era difícil de entender, e o bigode escondia os movimentos dos lábios, que poderiam ter oferecido alguma ajuda para entender o que ele dizia. K. começou a prever muitas dificuldades, desistiu de entender o que o italiano dizia – com o diretor ali, que podia entendê-lo tão facilmente, seria um esforço sem sentido – e por ora não fez nada além de olhar feio para o italiano, relaxado e afundado na cadeira, porém confortável, dando puxadinhas frequentes na jaqueta curta e muito bem cortada, e em certo ponto ergueu os braços no ar e moveu as mãos livremente para tentar descrever algo que K. não entendera, mesmo se inclinando para o italiano e não perdendo as mãos dele de vista. K. não tinha nada com que se ocupar além de assistir mecanicamente à conversa entre os dois homens. O cansaço finalmente se fez sentir, para alarme de K., embora felizmente bem a tempo, pois ele, em certo momento, pegou-se quase levantando, dando meia-volta e indo embora. Finalmente, o italiano olhou para o relógio e deu um pulo. Após despedir-se do diretor, virou-se para K., chegando tão perto que ele teve de empurrar a cadeira um pouco para trás, a fim de poder se mexer. O diretor havia, sem dúvida, percebido a ansiedade no olhar de K. enquanto ele tentava lidar com o tal dialeto italiano. Ele adentrou a conversa de modo tão hábil e discreto que pareceu estar somente acrescentando uns poucos comentários, enquanto na verdade quebrava suave e pacientemente o que o italiano dizia para K. poder entender. K. descobriu, assim, que o italiano primeiro tinha uns assuntos a resolver, que infelizmente tinha pouco tempo à disposição, que certamente não pretendia sair às pressas vendo cada monumento da cidade, que preferia muito mais – contanto que K. concordasse, seria inteiramente decisão dele – ver somente a catedral e vê-la com tranquilidade. Agradava-lhe extremamente ser acompanhado por alguém tão culto e aprazível – com isso ele se referia a K., que estava ocupado não com ouvir o italiano, mas o diretor – e perguntou se ele poderia fazer a gentileza, se o tempo lhe permitisse, de encontrá-lo na catedral dentro de duas horas, às dez. Ele esperava poder chegar lá também na hora. K. deu uma resposta adequada, o italiano cumprimentou primeiro o diretor, depois K., e mais uma vez o diretor, depois foi para a porta, virou-se um pouco para os homens que o acompanhavam e continuou a falar sem parar. K. permaneceu junto do diretor por alguns instantes, embora este parecesse particularmente infeliz nesse dia. Achava que precisava desculpar-se com K. por alguma coisa e lhe disse – estavam intimamente próximos nesse momento – que pensara inicialmente em acompanhar o italiano ele mesmo, mas então – e não deu motivo mais preciso que esse – resolvera que seria melhor mandar K. com ele. Não era preciso ficar admirado de não entender o italiano no começo, em pouco tempo ele conseguiria, e, ainda que não pudesse entender muito bem, não era de todo ruim, pois que não era tão importante assim que o italiano fosse entendido. E, enfim, a noção de K. do italiano era de surpreender, e o diretor tinha certeza de que ele se sairia muito bem. E, com isso, chegou a hora de K. O tempo que lhe restava, ele passou com um dicionário, copiando palavras obscuras de que precisaria para guiar o italiano em toda a catedral. A tarefa era em si muito cansativa. Assistentes traziam-lhe correspondência, outros funcionários vieram com diversas perguntas, mas, quando viam que K. estava ocupado, ficavam à porta e não iam embora enquanto ele não lhes desse atenção. O diretor assistente não perdeu a oportunidade de perturbar K. e ia com frequência, tirava o dicionário das mãos dele e ficava folheando, obviamente sem motivo algum, quando a porta da antessala abria-se, até mesmo clientes apareciam da semiescuridão e curvavam-se timidamente para ele – queriam atrair sua atenção, mas não tinham certeza se ele os via –, toda essa atividade circulava ao redor de K., enquanto ele, no centro, compilava a lista de palavras de que ia precisar, depois as procurava no dicionário, depois as escrevia, depois praticava a pronúncia e, finalmente, tentava decorá-las. As boas intenções que tivera antes, no entanto, pareciam tê-lo deixado por completo, era o italiano o culpado de todo esse esforço, e às vezes ele ficava tão irritado que enterrava o dicionário debaixo de uns papéis firmemente resolvido a não fazer mais preparações, mas então lhe ocorria que não podia andar daqui para lá na catedral com o italiano sem dizer uma palavra sequer, então, com mais raiva ainda, pegava de novo o dicionário.

Exatamente às nove e meia, justo quando estava prestes a sair, telefonaram para ele. Era Leni, querendo desejar bom dia e perguntar como ele estava. K. agradeceu com pressa e disse que era impossível para ele conversar, pois tinha de ir à catedral.

– À catedral? – Leni perguntou.

— Sim, à catedral.
— Para que tem de ir à catedral?
K. tentou explicar a situação brevemente, mas mal começara quando foi subitamente interrompido pela moça.
— Estão incomodando você.
Se havia algo que K. não suportava era a pena que não desejava ou esperava. Despediu-se com duas palavras, mas, antes de colocar o receptor no gancho disse, meio para si, meio para a moça do outro lado da linha, que não podia mais ouvi-lo:
— Sim, estão me incomodando.
Finda a conversa, K. estava atrasado e quase corria o risco de não chegar a tempo. Ele pegou um táxi para a catedral, no último momento lembrou-se do álbum que não tivera oportunidade de entregar ao italiano antes e levou-o consigo. Segurou-o sobre os joelhos, tamborilando nele os dedos com impaciência durante todo o trajeto. A chuva diminuíra um pouco, mas ainda estava úmido, frio e escuro, seria difícil ver qualquer coisa na catedral, e ficar zanzando nas pedras frias poderia piorar ainda mais o resfriado de K. A praça em frente à catedral estava bem vazia, K. lembrou-se de que, mesmo quando era criança, notava que quase todas as casas daquela pracinha estreita tinham as cortinas das janelas fechadas a maior parte do tempo, embora nesse dia, com o tempo desse jeito, fosse quase compreensível. A catedral também parecia bem vazia, claro que ninguém pensava em entrar ali num dia como esse. K. correu pelos dois lados da nave, mas não viu ninguém além de uma senhora que, envolvida num xale quentinho, estava ajoelhada perante uma imagem da Nossa Senhora, olhando para ela. Ao longe, K. avistou um sacristão entrar mancando por uma porta. Chegara no horário, o relógio marcou as dez no instante em que cruzara a entrada principal, mas o italia-

no ainda não estava lá. K. retornou à entrada principal, ficou ali um pouquinho, indeciso, depois deu a volta na catedral, sob a chuva, para o caso de o italiano estar esperando na outra entrada. Não o encontrava de jeito nenhum. Teria o diretor se confundido com relação ao horário marcado para o encontro? Como alguém podia entender direito uma pessoa como aquela, afinal? Fosse lá o acontecido, K. teria de esperar por pelo menos meia hora. Como estava cansado, quis sentar-se, voltou para o interior da catedral, encontrou algo como um tapetinho num dos degraus, moveu-o com o pé até o banco mais próximo, apertou o casaco em volta do corpo, ergueu a gola e sentou-se. Para passar o tempo, abriu o álbum e foi folheando, mas logo teve de desistir porque ficou tão escuro que, quando ergueu os olhos, mal pôde enxergar qualquer coisa na nave ao redor de si.

Ao longe, um grande triângulo de velas bruxuleava no altar principal. K. não teve certeza se já o tinha visto antes. Talvez tinham acabado de ser acesas. Os sacristãos zanzam por ali sem ser ouvidos, isso é parte do trabalho – não serem notados. K. virou-se e viu uma vela alta e inabalável presa numa coluna um pouco atrás de si. Era tudo muito bonito, mas totalmente inadequado iluminar as imagens, que em geral ficavam no escuro dos altares laterais, e pareciam tornar a escuridão ainda mais profunda. Era falta de cortesia do italiano não aparecer, mas também sensível de sua parte; não haveria nada a ver, teriam de contentar-se em ir atrás de uns poucos quadros com uma lanterna de bolso de K. e admirá-las um pedacinho por vez. K. foi até uma capela lateral para ver o que lhes aguardava, subiu alguns degraus, até um parapeito de mármore, e nele se debruçou para ver a imagem do altar sob a luz da lanterna. A luz eterna pendia imóvel em frente. A primeira coisa que K.

em parte viu e em parte adivinhou foi um grande cavaleiro de armadura que aparecia na beirada mais distante do quadro. Apoiava-se sobre a espada, que fincara no chão pelado debaixo de si, onde uns poucos filamentos de grama cresciam aqui e ali. Parecia prestar muita atenção a algo que se desenrolava à frente dele. Foi impressionante ver como o homem ficava ali parado, sem querer chegar mais perto. Talvez fosse sua função ficar de guarda. Fazia muito tempo que K. não via nenhum quadro, e ficou estudando o cavalheiro por um bom tempo, mesmo tendo que piscar continuamente, pois achava difícil suportar a luz verde de sua lanterna. Passando a luz por outras partes do quadro, achou o enterro de Cristo representado do modo costumeiro – era um quadro relativamente novo. Enfim, K. guardou a lanterna e retornou a seu lugar.

Não lhe parecia fazer mais sentido ficar esperando pelo italiano, mas lá fora certamente chovia pesado, e não estava tão frio dentro da catedral quanto K. imaginara, portanto ele resolveu ficar mais um pouco ali. Perto dele estava o grande púlpito. Havia duas cruzes douradas e límpidas presas em sua plataforma redonda, quase deitadas, e suas pontas se cruzavam. A borda da balaustrada do púlpito era coberta por folhagem verde, que descia pela coluna que a sustentava, com anjinhos em meio às folhas, alguns deles tão vívidos, outros um pouco mais parados. K. foi até o púlpito e examinou-o de todos os lados, a pedraria fora esculpida com extremo zelo, era como se a folhagem aprisionara sombras profundas entre e atrás das folhas e as mantivesse ali presas. K. pôs a mão numa dessas reentrâncias e sentiu a pedra, até então não tinha ciência alguma da existência desse púlpito. Subitamente, K. reparou na presença de um sacristão atrás da fileira seguinte de bancos. Usava batina preta, solta, amassada. Tinha na mão esquerda uma caixinha de fumo e observava K. O que queria ele? "Será que suspeita de mim? Quer uma gorjeta?", pensou K. Mas, quando o homem de batina viu que K. o notara, ergueu a mão direita, com um punhadinho de fumo entre os dedos, e apontou para uma direção qualquer. Foi quase impossível entender esse comportamento. K. esperou mais um pouco, mas o homem de batina não parou de gesticular com a mão e foi agitando cada vez mais a cabeça.

– Que é que ele quer? – K. perguntou baixinho, sem ousar falar alto ali, mas logo sacou a carteira e foi passando entre os bancos mais próximos para chegar até o homem.

Este, contudo, imediatamente gesticulou recusando a oferta, deu de ombros e saiu mancando. Quando criança, K. fingia estar andando a cavalo com esse mesmo coxear.

"Esse senhor é como uma criança", pensou ele. "Não tem noção de mais nada além do serviço que faz na igreja. Veja o modo com que para quando eu paro, e agora espera para ver se vou continuar." Com um sorriso, K. seguiu o velho até a lateral da nave e quase até o altar principal. Todo esse tempo o homem continuava apontando alguma coisa, mas K. evitava olhar deliberadamente, estava apontando somente para dificultar para K. segui-lo. Finalmente, este parou de seguir, não queria preocupar tanto assim o velho, e também não queria assustá-lo de todo, caso o italiano resolvesse aparecer.

Quando entrou na nave central para retornar ao local em que deixara o álbum, notou um pequeno púlpito secundário numa coluna quase ao lado dos bancos, perto do altar onde ficava o coral. Era muito simples, feito de pedra branca, e tão pequeno que, ao longe, lembrava um nicho vazio no qual devia ficar a estátua de um santo. Era certamente impossível para o padre dar um passo para trás na balaustrada e, embora não houvesse decoração em cima, o topo do púlpito curvava-se tão excepcionalmente para baixo que um homem de altura média não poderia ficar em pé, tendo de permanecer curvado sobre a balaustrada. Basicamente, parecia ter sido pensada para fazer o padre sofrer, era impossível entender por que esse púlpito era necessário, visto que havia também outros disponíveis, tão maiores e sofisticadamente decorados.

E K. certamente não teria notado esse pequeno púlpito se não fosse a lamparina presa acima, que em geral indicava que havia um sermão prestes a ser dado. Então estava para começar um? Naquela igreja vazia? K. olhou para os degraus que, prensados contra a coluna, levavam ao púlpito. Eram tão estreitos que pareciam ser uma decoração da coluna em vez de destinados ao uso. Contudo, debaixo do púlpito – K. sorriu, admirado – havia mesmo um padre em pé, de mãos no corrimão, pronto para subir os degraus, olhando para ele. O padre acenou, então K. fez o sinal da cruz e uma reverência, algo que devia ter feito antes. Com um movimento suave, o padre subiu até o púlpito com passos rápidos e curtos. Estaria mesmo para começar um sermão? Talvez o homem de batina não estivesse assim tão demente e quisera indicar a direção do padre a K., algo totalmente desnecessário numa igreja assim vazia. E havia também, em algum lugar em frente à imagem da Virgem Maria, a senhora que devia ter ido ouvir o sermão. E se estava para ter sermão, por que não o introduziam com o órgão? O instrumento permanccia tão quieto, apenas observando tudo da escuridão de toda a sua altitude.

K. pensou se devia partir o quanto antes; se não o fizesse imediatamente, não teria chance de fazê-lo depois, durante o sermão, e teria de ficar ali enquanto este durasse. Perdera tanto tempo, quando devia estar no escritório, não havia necessidade alguma de ficar esperando tanto tempo pelo italiano. Olhou para o relógio: eram onze horas. Mas podia mesmo haver sermão? K. constituiria toda uma congregação? Como isso seria possível, sendo ele apenas um estranho querendo visitar a igreja? Porque, basicamente, era apenas isso. A ideia de um sermão agora, às onze da manhã, num dia de trabalho, num clima hediondo, não fazia sentido. O padre – não havia dúvida de que era um padre, um jovem de rosto suave e sombrio – estava claramente subindo ali para apagar a vela que alguém acendera por engano.

Mas não fora engano algum. O padre pareceu, na verdade, checar a lamparina para ver se estava acesa, e aumentou um pouco o fogo, depois se virou lentamente para ficar de frente e debruçou-se na balaustrada, segurando o corrimão angulado com ambas as mãos. Ali ele ficou por um tempo e, sem virar a cabeça, olhou ao redor. K. passara para o fundo e agora apoiava os cotovelos no banco da frente. Em algum lugar da igreja – não havia como dizer onde exatamente – ele pôde divisar o homem de batina, curvado sob sua corcunda, e em paz, como se cumpria com sua função. Ficou tudo muito quieto na catedral! Mas K. teria de perturbar esse silêncio, não tinha intenção de ficar ali; se era mesmo função do padre pregar em algum momento, independentemente das circunstâncias, ele o faria, e o faria sem a participação de K., e a presença de K. não faria nada para aumentar os efeitos do sermão. Então K. começou a andar lentamente, foi sentindo o caminho nas pontas dos pés ao longo do banco, chegou ao grande corredor e foi seguindo sem ser perturbado, exceto pelo som dos próprios passos, embora leves, que ecoava sobre o piso de pedra e ressoava pelas abóbadas, baixo, mas contínuo, num ritmo repetitivo e regular. K. sentiu-se um tanto abandonado ao, provavelmente observado pelo padre, caminhar sozinho entre os bancos vazios, e o tamanho da catedral pareceu estar no limite do que um homem podia suportar. Quando chegou de volta a onde estivera sentado, não hesitou em simplesmente pegar o álbum de onde o deixara e levá-lo consigo. Quase tinha deixado a área coberta pelos bancos, perto do espaço vazio entre ele e a saída, quando, pela primeira vez, ouviu a voz do padre. Uma voz poderosa e experiente. Ela perfurou as paredes da catedral, que já esperava por ela! Mas o padre não chamava a congregação. Seu grito foi inequívoco, e não havia como escapar dele.

– Josef K.! – ele gritou.

K. ficou parado, olhando para o chão. Em tese, ainda estava livre, poderia ter continuado a andar, cruzando uma das três portas de madeira não muito distantes, para fora dali. Significaria simplesmente que não tinha entendido, ou que entendera, mas escolhera não dar atenção. Mas se virasse para trás uma vez que fosse seria pego, teria de admitir que entendera perfeitamente bem, que era mesmo o Josef K. que o padre chamara e estava disposto a obedecer. Se o padre tivesse chamado de novo, K. teria certamente passado porta afora, mas, como ficou tudo em silêncio, K. esperou um pouco e virou ligeiramente a cabeça, pois queria ver o que o padre fazia agora. Ele estava basicamente em pé no púlpito, como antes, mas ficou óbvio que vira K. olhar para trás. Se K. não se virasse completamente, seria como uma criança brincando de esconde-esconde. Ele se virou, e o padre o chamou com um aceno do dedo. Como tudo agora podia ser feito abertamente, ele correu – por causa da curiosidade e pelo desejo de acabar logo com tudo – com passadas compridas na direção do púlpito. Nos bancos frontais, ele parou, mas o padre ainda parecia tão distante. Ele estendeu a mão e apontou com o dedo diretamente para um local imediatamente em frente ao púlpito. E K. fez o que lhe mandavam. Para ficar ali, teve de curvar a cabeça bem para trás a fim de poder ver o padre.

– Você é Josef K. – afirmou o padre, e ergueu a mão da balaustrada para fazer um gesto cujo significado não foi muito claro.

– Sim – retrucou K., considerando quão livremente sempre dissera seu nome no passado, e por algum tempo agora o nome era um fardo, agora havia gente que sabia o nome dele sem ele saber quem era, era tão bom quando primeiro ele se apresentava e somente então as pessoas sabiam quem ele era.

– Você foi acusado – colocou o padre, extremamente gentil.

– Sim – confirmou K. – Fui informado disso.

– Então, é por você que tenho procurado – explicou o padre. – Sou o capelão da prisão.

– Entendo – disse K.

– Eu o chamei até aqui porque queria falar com você.

– Não fiquei sabendo disso – comentou K. – Vim aqui mostrar a catedral a um cavalheiro que veio da Itália.

– Isso não vem ao caso. O que tem na mão? Um livro de orações?

– Não – respondeu K. –, é um álbum com os pontos turísticos da cidade.

– Livre-se dele – sugeriu o padre.

K. jogou longe o álbum com tanta força que ele se abriu e rolou pelo piso, tendo folhas arrancadas.

– Sabia que seu caso vai indo muito mal? – perguntou o padre.

– É assim que me parece. Tenho dispendido muito esforço nele, mas até agora sem resultado. Embora eu ainda tenha alguns documentos para enviar.

— Como imagina que vai terminar? – perguntou o padre.

— Inicialmente, achava que acabaria tudo bem, mas agora tenho lá minhas dúvidas. Não sei como vai terminar. O senhor sabe?

— Não sei, mas receio que terminará mal. Você é considerado culpado. Seu caso provavelmente não passará de um tribunal menor. Provisionalmente, pelo menos, sua culpa é vista como provada.

— Mas não sou culpado – explicou K. – Houve um engano. Como é possível alguém ser culpado? Somos todos seres humanos aqui, uns iguais aos outros.

— Isso é verdade, mas é assim que fala o culpado.

— Também presume que sou culpado?

— Não presumo nada com relação a você – afirmou o padre.

— Agradeço por isso. Mas todos os demais envolvidos nesses procedimentos têm algo contra mim ou presumem que sou culpado. Eles até influenciam os que não estão envolvidos. Minha situação vai ficando cada vez mais complicada.

— Você não entende os fatos – continuou o padre. – O veredicto não vem subitamente, os procedimentos continuarão até que um veredicto seja alcançado gradualmente.

— Entendo – disse K., baixando a cabeça.

— O que pretende fazer em seguida em relação ao seu caso? – perguntou o padre.

— Ainda preciso achar ajuda – comentou K., erguendo a cabeça para ver o que o padre achara disso. – Ainda há possibilidades das quais não fiz uso.

— Você procura ajuda demais de pessoas que não conhece – observou o padre, reprovando-o –, especialmente de mulheres. Não enxerga que não é essa a ajuda de que precisa?

– Às vezes, na verdade quase sempre, eu poderia acreditar que o senhor tem razão, mas não sempre. As mulheres têm muito poder. Se eu pudesse persuadir algumas das mulheres que conheço a trabalharem para mim, certamente teria sucesso. Principalmente numa corte como essa, que parece consistir basicamente de mulherengos. Mostre ao juiz de instrução uma mulher ao longe e ele corre para a mesa, e para o acusado, apenas para consegui-la assim que puder.

O padre baixou a cabeça sobre a balaustrada, como se somente agora o teto do púlpito o pressionasse para baixo. Que tipo de clima horroroso estaria fazendo lá fora? Não era mais apenas um dia chato, mas uma profunda noite. Nenhuma porção do vidro tingido da janela principal deixava vazar nem um lampejo que fosse de luz na escuridão das paredes. E foi esse o momento escolhido pelo homem de batina para colocar umas velas no altar principal, uma por uma.

– Está zangado comigo? – K. perguntou. – Talvez não saiba muito bem para qual corte trabalha.

E não recebeu resposta.

– Bom, é só minha própria experiência – explicou K. Acima, continuava tudo em silêncio. – Eu não pretendia insultá-lo.

Com isso, o padre gritou para K.:

– Você não enxerga os degraus à sua frente?

E gritou de raiva, mas também o grito de quem vê mais uma queda e, chocado e sem pensar, grita contra a própria vontade.

Os dois homens permaneceram em silêncio por um bom tempo. Na escuridão abaixo, o padre não podia ver K. com nitidez, embora K. pudesse vê-lo claramente sob a luz da lamparina. Por que o padre não descia? Não dera o sermão, apenas dissera umas poucas coisas a K., coisas que se ele seguisse provavelmente lhe causariam mais prejuízo que benesse. Mas o padre parecia certamente ter boa intenção. Talvez fosse até possível, se ele descesse e cooperasse, talvez fosse possível para K. obter conselhos aceitáveis, algo que pudesse fazer toda a diferença, poderia, quem sabe, mostrar-lhe não como influenciar os procedimentos, mas libertar-se deles, evadi-los, viver longe deles. K. tinha de admitir que isso era algo que andava passando muito por sua mente. Se o padre soubesse de tal possiblidade, poderia, se K. lhe pedisse, contar-lhe sobre, mesmo sendo ele participante da corte, e mesmo tendo ele, quando K. criticou a corte, posto de lado a natureza gentil e de fato gritado com K.

– Não gostaria de descer aqui? – perguntou K. – Se não vai dar o sermão, desça aqui comigo.

– Agora eu posso descer – comentou o padre, talvez arrependido de ter gritado com K. Ao apagar a lamparina, disse: – Para continuar o que eu tinha que falar com você de longe. Do contrário, sou facilmente influenciado e esqueço o meu dever.

K. esperou por ele no começo da escadaria. Ainda num dos degraus mais altos, ao descer, o padre estendeu a mão para cumprimentar K.

– Pode me dar um pouco do seu tempo? – perguntou K.

– Quanto tempo precisar – respondeu o padre, e passou-lhe a lamparina para carregar.

Mesmo de perto, o padre não perdeu certa solenidade, que parecia ser parte de seu caráter.

– O senhor está sendo muito gentil comigo – comentou K., seguindo por uma das passagens laterais ao lado do padre, no escuro. – Isso faz do senhor uma exceção entre todos os que pertencem à corte. Posso confiar mais no senhor do que em qualquer outro que tenha visto. Posso falar abertamente.

– Não se engane – afirmou o padre.

– Por que eu estaria me enganando?

– Você se ilude no tribunal – respondeu o padre. – Ele fala sobre esse autoengano nos parágrafos iniciais da lei. Perante a lei, há um porteiro. Um homem do interior vem até a porta e pede para entrar. Mas o porteiro diz que não pode deixá-lo entrar na lei agora. O homem pensa um pouco nisso, e depois pergunta se poderá entrar mais tarde. "Isso é possível", diz o porteiro, "mas não agora". O portão da lei é aberto, como sempre acontece, e o porteiro fica de lado, então o homem se inclina e tenta ver lá dentro. Quando o porteiro repara nesse gesto, ri e diz: "Se está tentado a tentar, tente entrar, mesmo eu tendo dito que não pode. No entanto, cuidado: eu sou poderoso. E sou somente o mais inferior dos porteiros. Mas tem um porteiro para cada uma das salas e cada um deles é mais poderoso que o anterior. Não suporto olhar para além do terceiro". O homem do interior não esperava dificuldades desse tipo, a lei devia ser acessível a qualquer um, a qualquer momento, mas agora ele olha com mais atenção para o porteiro em seu casaco de pele, vê seu nariz curvo, sua barba comprida, e conclui que é melhor esperar até ter permissão para entrar. O porteiro dá-lhe um banco e deixe que se sente ao lado do portão. Ele fica ali sentado por dias e anos. Tenta obter permissão vez por outra e cansa o porteiro com seus pedidos. O porteiro faz várias perguntas, pergunta de onde ele viera e muitas outras coisas, mas são perguntas desinteressadas, como as que fazem os homens grandiosos, e ele sempre acaba dizendo que não pode deixar o outro entrar. O homem viera bem equipado para sua jornada, e usa de tudo, independentemente do valor, para subornar o porteiro. Este aceita tudo, mas ao fazer diz o seguinte: "Aceitarei isso apenas para que você não pense que tem algo que fracassou em fazer". Ao longo de muitos anos, o homem observa o porteiro quase sem fazer pausa. Esquece que existem outros porteiros e começa a achar que esse é a única coisa que o impede de obter acesso à lei. Ao longo dos primeiros anos, ele blasfema contra a sua situação em voz alta, mas mais tarde, conforme envelhece, passa a apenas murmurar consigo. Fica senil e passa a conhecer até as moscas que cobrem o casaco de pele do porteiro com o passar dos anos em que o ficou estudando, e até pede que o ajudem a fazê-lo mudar de opinião. Finalmente, seus olhos ficam fracos e ele não sabe mais se está ficando escuro ou se somente seus olhos o estão enganando. Mas ele agora parece enxergar uma luz indistinguível começando a brilhar na escuridão atrás da porta. Não tem muito tempo de vida agora. Pouco antes de morrer, o homem reúne toda a experiência de todo esse tempo focado em uma única pergunta que ele nunca fez ao porteiro. Ele o chama, pois não consegue mais erguer seu corpo teso. O porteiro tem de debruçar-se muito, visto que a diferença de tamanho dos dois mudou muito, para a desvantagem do homem. "O que quer saber agora?", pergunta o porteiro, "você é insaciável". "Todos querem ter acesso à lei", diz o homem. "Como é que, ao longo de tantos anos, ninguém além de mim pediu permissão para entrar?". O porteiro compreende que o homem chegou ao fim, que sua audição se fora, e então, para poder ser ouvido, grita para ele: "Ninguém mais poderia ter entrado por aqui, pois essa entrada foi feita somente para você. Agora posso ir lá fechá-la".

– Então, o porteiro enganou o homem – concluiu K. imediatamente, tendo sido cativado pela história.

– Não se apresse tanto – advertiu o padre. – Não aceite a opinião de outro sem checá-la. Eu contei a história exatamente do modo como foi escrita. Não tem nada de enganação aí.

— Mas ficou bem claro — disse K. — E sua primeira interpretação foi bastante acertada. O porteiro deu-lhe a informação que o libertaria somente quando não seria mais de uso.

— O homem não perguntou antes — explicou o padre. — E não se esqueça de que o outro era apenas o porteiro, e enquanto porteiro ele cumpriu a função dele.

— O que o faz pensar que ele cumpriu a função dele? — perguntou K. — Não cumpriu. Poderia ser função dele impedir que todos os demais entrassem, mas era para esse homem que a porta fora feita, então deviam tê-lo deixado entrar.

— Você não está prestando atenção suficiente ao que foi escrito e está mudando a história — explicou o padre. — Segundo a história, são duas as coisas importantes que o porteiro explica sobre o acesso à lei, uma no começo, uma no fim. Num momento, ele diz que não pode deixar o homem entrar agora, e na outra diz que a entrada cabia somente a ele. Se uma das afirmações contradissesse a outra, você estaria certo e o porteiro teria enganado o homem do interior. Mas não há contradição. Pelo contrário, a primeira afirmação dá uma dica da segunda. Poder-se-ia quase dizer que o porteiro foi além do seu dever ao oferecer ao homem a possibilidade de que ele seria admitido no futuro. Ao longo da história, a função dele pareceu ser somente impedir que o homem entrasse, e muitos comentaristas ficam surpresos porque o porteiro ofereceu essa dica, pois ele parece amar a exatidão e monta guarda estritamente, em seu posto. Ele fica no posto por muitos anos e não fecha o portão até o final, está muito ciente da importância de seu serviço, como quando diz: "eu sou poderoso", ele tem respeito pelos superiores, como quando diz: "sou o mais inferior dos porteiros", ele não é muito de falar, posto que ao longo de todos os anos as únicas perguntas que faz são "desinteressadas", não se deixa corromper, como quando, ao lhe oferecerem um presente, ele diz: "aceitarei isso apenas para que não pense que tem algo que fracassou em fazer", quanto a cumprir a função dele, não se irrita nem cede a pedidos, como se diz sobre o homem, que "cansa o porteiro com os seus pedidos", até mesmo sua aparência exterior sugere que é um homem pedante, o grande nariz curvado e a barba longa, fina e preta. Como poderia ser qualquer outro porteiro mais fiel a sua função? Mas no caráter do porteiro há também outros traços que poderiam ser muito úteis para aqueles que buscam entrar na lei, e, quando ele sinalizou haver certa possibilidade no futuro, sempre pareceu deixar claro que poderia até fazer algo além de sua função. Não se pode negar que é pessoa de mente simples e isso faz dele um pouco pretensioso. Ainda que tudo que tenha dito sobre seu poder e o poder dos outros porteiros e como nem suporta olhar para eles, eu digo que, ainda que todas essas afirmações estejam certas, o modo com que as faz demonstra que é simplório e arrogante demais para entender direito. Os comentaristas dizem, sobre isso, que "o entendimento correto de uma questão e o não entendimento da mesma questão não são mutuamente exclusivos". Se estão certos ou não, você tem de admitir que a simplicidade e a arrogância dele, por pouco que se mostrem, enfraquecem de fato a função de proteger a entrada, são defeitos no caráter do porteiro. Também tem de considerar que o porteiro parece ser amigável por natureza, não é sempre apenas um funcionário. Ele faz uma piada logo no começo, quando convida o homem a entrar e ao mesmo tempo mantém impedida a entrada, e depois não o manda embora, mas dá-lhe, como diz no texto, um banco no qual se sentar e deixa que fique ao lado da porta. A paciência com que tolera os pedidos do homem ao longo dos anos, as pequenas sessões de perguntas, aceitando os presentes, a polidez quando aguenta o homem blasfemando contra o próprio destino, quando foi o próprio porteiro quem o causou, todas essas coisas parecem querer gerar em nós simpatia. Nem todo porteiro teria se comportado do mesmo jeito. E, finalmente, ele deixa que o homem o chame e se curva para ele para que faça a última pergunta. Não aparece mais do que um pouco de impaciência, o porteiro sabe que está tudo acabado, nas palavras dele, "você é insaciável". Há muitos comentaristas que vão além, ainda, explicando desse modo e acham que as palavras "você é insaciável" são uma expressão de admiração amigável, embora com certa condescendência. O jeito com que avalia a figura do porteiro acaba diferente, depende de como pensa nele.

— O senhor sabe a história melhor do que eu, que não a conheço faz tempo — comentou K.

Ficaram em silêncio por um tempo. Então, K. continuou:

— Então o senhor acha que o homem não foi enganado, é?

— Não me leve a mal — respondeu o padre. — Só estou apontando diferentes opiniões acerca disso. O texto não pode ser alterado, e as diversas opiniões são em geral nada mais que uma expressão de desespero para com ele. Existe até uma opinião que diz que foi o porteiro quem foi enganado.

— Isso me parece ir longe demais — disse K. — Como alguém pode argumentar que o porteiro foi enganado?

— A explicação — respondeu o padre — baseia-se na simplicidade do porteiro. Dizem que o porteiro não conhece o interior da lei, somente a entrada, onde anda daqui para lá. Enxergam o que ele pensa sobre o que está dentro da lei como coisa de criança e supõem que ele mesmo teme aquilo que quer fazer o homem também temer. Sim, ele tem mais medo que o homem, visto que este nada quer além de entrar na lei, mesmo tendo ouvido falar do terrível porteiro lá de dentro, ao contrário do porteiro, que não quer entrar, ou pelo menos não ouvimos nada disso. Por outro lado, há quem diga que ele já devia ter entrado na lei, pois fora admitido a serviço dela e isso só poderia ter sido feito lá dentro. Isso pode ser contraposto se supusermos que a ele foi dado o emprego de porteiro por alguém que falou lá de dentro, e que ele não podia ter ido muito além lá dentro por não suportar nem olhar para o terceiro porteiro. Nem, ao longo de todos aqueles anos, a história diz que o porteiro contou ao homem qualquer coisa sobre o interior, além do comentário sobre os demais porteiros. Ele poderia ser proibido de fazer isso, mas não comentou nada sobre isso também. Tudo isso parece mostrar que ele não sabe nada sobre como é lá dentro ou qual é o significado, e que é por isso que ele foi o enganado. Mas está sendo também enganado pelo homem do interior, por ser subordinado a ele e não saber disso. Existe muito que indique que ele trata o homem como seu subordinado, imagino que se lembre, mas os que sustentam esse ponto de vista dizem estar muito claro que é ele o subordinado. Acima de tudo, o homem livre é superior ao homem que tem que servir a outro. Agora, o homem é realmente livre, pode ir aonde quiser, a única coisa que lhe proíbem é de entrar na lei e, ademais, existe somente um homem que o impede de fazê-lo: o porteiro. Se ele aceita o banco e se senta ao lado do portão e fica lá a vida toda, ele faz isso por vontade própria, não há nada na história que diga que ele foi forçado. Por outro lado, o porteiro é mantido em seu posto por ser contratado, não lhe é permitido sair dali, e parece que ele também não pode entrar, nem mesmo quer. Além disso, embora esteja a serviço da lei, está ali apenas para aquela porta, portanto está a serviço apenas desse único homem para o qual a porta foi feita. Esse é outro sentido no qual ele é o subordinado. Pode-se pensar que ele veio executando esse serviço deveras vazio por muitos anos, ao longo de toda a vida de um homem, como diz que um homem virá, pois se trata de alguém com idade suficiente para ser um homem. Isso significa que o porteiro terá de esperar um bom tempo para que sua função seja cumprida, terá de esperar o tempo que o homem quiser, o que foi à porta por vontade própria. Até mesmo no fim, o serviço do porteiro é determinado por quando termina a vida do homem, então o porteiro permanece a ele subordinado até o final. E aponta-se repetidamente que o porteiro parece não saber nada disso, embora isso não seja lá muito digno de nota, posto que os que sustentam esse ponto de vista enxergam o porteiro sendo iludido de modo ainda pior, algo que tem a ver com o serviço dele. No final, ao falar da entrada, ele diz: "agora posso ir lá fechá-la", embora no começo da história seja dito que a porta da lei está aberta e para sempre fica, mas se está sempre aberta, sempre, isso significa que permanece aberta independentemente do tempo de vida do homem para o qual foi feita, e nem mesmo o porteiro será capaz de fechá-la. Há diversas opiniões com relação a isso, alguns dizem que o porteiro estava apenas respondendo a uma pergunta ou demonstrando sua devoção ao dever ou, bem quando o homem está em seus últimos momentos, o porteiro queria causar-lhe arrependimento ou tristeza. Muitos concordam que ele não poderia fechar a porta. Acreditam até que, no fim, pelo menos, o porteiro toma ciência, no fundo, de que era subordinado ao homem, posto que o homem enxerga a luz que brilha na entrada da lei, enquanto o porteiro estaria provavelmente de costas para ela, e não lhe diz nada, não diz que houve mudança.

— Isso é bem substanciado — comentou K., que vinha repetindo algumas partes da explicação do padre consigo, num sussurro. — É bem substanciado, e agora eu também acredito que o porteiro deve ter sido enganado. Embora isso não signifique que abandonei o que pensava antes, que as duas versão são, até certo ponto, não incompatíveis. Não fica claro se o porteiro enxerga com clareza ou é enganado. Eu falei que o homem foi enganado. Se o porteiro entende com clareza, pode haver certa dúvida com relação a isso, mas, se o porteiro foi engando, o homem está fadado a acreditar na mesma coisa. Isso significaria que o porteiro não é um enganador, mas apenas de mente tão simplória que deve ser dispensado do trabalho imediatamente; se o porteiro estiver equivocado, não sofrerá prejuízo algum, mas o homem será prejudicado imensamente.

— Aí você formulou mais outra opinião — explicou o padre. — Visto que muitos dizem que a história não dá a ninguém o direito de julgar o porteiro. Independentemente de como ele nos pareça, ainda está a serviço da lei, então pertence à lei, então está além do que um homem tem o direito de julgar. Nesse caso, não podemos acreditar que o porteiro é subordinado do homem. Mesmo que tenha que permanecer na entrada da lei, seu serviço faz dele incomparavelmente maior do que se vivesse livremente no mundo. O homem foi até a lei pela primeira vez e o porteiro já está lá. Ele recebeu esse posto pela lei, duvidar de seu valor seria duvidar da lei.

— Não posso dizer que concordo totalmente com essa visão — observou K., sacudindo a cabeça —, como se aceitasse que terá de aceitar-se que tudo que foi dito pelo porteiro é verdade. Mas o senhor já explicou muito bem que isso não é possível.

— Não — colocou o padre —, não é preciso aceitar que tudo é verdade; apenas tem que aceitar que é necessário.

– Visão deprimente – concluiu K. – A mentira transformada na regra do mundo.

K. comentou isso como se fosse sua frase final, mas não foi sua conclusão. Estava cansado demais para pensar em todas as ramificações da história e os tipos de pensamentos ao qual elas o levavam não lhe eram familiares, coisas irrealísticas, coisas mais cabíveis aos funcionários da corte para discutir do que a ele. A simples história perdera a forma, ele quis esquecê-la, e o padre, que se sentia bastante compassivo, permitiu e aceitou os comentários de K. sem dizer nada, mesmo tendo ponto de vista bem diferente do dele.

Em silêncio, continuaram andando por um tempo. K. mantinha-se bem junto do padre, sem saber onde estava. A lamparina em sua mão apagara-se havia muito. Num momento, bem à frente, ele pensou ter visto a estátua de um santo pelo brilho prateado nela, embora ela rapidamente desaparecera na escuridão. Para não depender inteiramente do padre, K. perguntou:

– Estamos agora perto da entrada principal, não?

– Não – respondeu o padre. – Estamos bem longe. Quer ir embora já?

K. não tinha pensando em ir embora até o momento, mas correu dizer:

– Sim, certamente, tenho de ir. Sou escriturário-chefe num banco e tem gente esperando por mim. Só vim aqui mostrar a catedral para um correspondente de fora.

– Tudo bem – falou o padre, estendendo a mão. – Pode ir.

– Mas não consigo achar o caminho, sozinho, nessa escuridão – respondeu K.

– Vá à esquerda até a parede – comentou o padre –, depois continue ao longo da parede sem deixá-la e logo encontrará a saída.

O padre mal se afastara uns poucos passos e K. já gritava alto por ele.

— Por favor, espere!

— Estou esperando — retrucou o padre.

— Quer mais alguma coisa de mim? — perguntou K.

— Não.

— O senhor foi tão agradável comigo agora há pouco e explicou tudo, mas agora me abandona como se eu não significasse nada — observou K.

— Você tem de ir — avisou o padre.

— Bem, sim — concordou K. —, é preciso entender isso.

— Primeiro, você precisa entender quem eu sou — anunciou o padre.

— O senhor é o capelão da prisão — interrompeu K., e chegou mais perto do padre, não era tão importante para ele retornar ao banco, como dissera, podia muito bem ficar onde estava.

— Isso significa que faço parte da corte. Então, por que eu ia querer qualquer coisa sua? — indagou o padre. — A corte não quer nada de você. Ela o aceita quando vem e deixa ir quando vai embora.

CAPÍTULO DEZ
Fim

Na noite do aniversário de 31 anos de K. – eram cerca de nove horas da noite, hora em que as ruas ficavam quietas –, dois homens foram até onde ele morava. De jaqueta, pálidos e gordos, usavam chapéus altos que pareciam não poder ser tirados de suas cabeças. Após umas breves formalidades à porta da residência quando chegaram, as mesmas formalidades foram repetidas mais demoradamente à porta de K. Ele não fora notificado de que eles iriam, mas estava sentado numa cadeira perto da porta, vestido de preto, como eles, e punha lentamente luvas novas, que se esticavam apertadas envolvendo-lhe os dedos, comportando-se como se esperasse visitantes. Imediatamente, levantou-se e olhou para os cavalheiros de modo inquisidor.

– Vieram me buscar, então? – perguntou.

Os cavalheiros assentiram, um indicando o outro com a mão. K. disse-lhes que esperava por outro visitante. Foi até a janela e olhou mais uma vez para a rua escura. A maioria das janelas do outro lado da rua também estava escura, muitas tinham as cortinas fechadas. Numa das janelas do mesmo andar, onde havia uma luz acesa, duas criancinhas podiam ser vistas brincando juntas dentro de um cercado, incapazes de sair de onde estavam, estendo as mãozinhas uma para a outra.

– Atores idosos sem importância, foi isso que mandaram me buscar – K. falou para si mesmo, e olhou ao redor mais uma vez para confirmar o fato. – Querem acabar comigo do modo mais barato que puderem. – K. virou-se subitamente para os dois homens e perguntou: – Em que teatro atuam?

– Teatro? – indagou um dos cavalheiros, procurando o outro para ajudar, contorcendo os cantos da boca numa careta.

O outro fez um gesto típico de alguém muito limitado, como se lutasse contra algo dentro de si que lhe causava problemas.

– Não estão preparados adequadamente para responder a perguntas – comentou K., e foi pegar o chapéu.

Assim que chegaram à escada, os cavalheiros quiseram segurar K. pelos braços, mas ele protestou:

– Esperem até que estejamos na rua, não sou nenhum doente.

Contudo, esperaram somente até a porta de entrada para pegá-lo pelos braços de um modo que K. jamais vivenciara antes. Mantinham os ombros logo atrás dos dele, mas não tinham virado os braços para dentro, rodeavam-nos ao redor de todo o comprimento dos braços dele, prendendo-lhe as mãos com uma firmeza treinada, experiente, à qual não havia como resistir. K. foi levado duro e ereto entre os dois, formando com eles uma unidade, de modo que, se algum deles fosse derrubado, todos os três cairiam. Formavam uma unidade do tipo que normalmente só pode ser composta por matéria que não tem vida.

Toda vez que passavam debaixo de uma lâmpada, K. tentava enxergar seus companheiros mais claramente, o máximo que era possível, pois estavam prensados tão perto uns dos outros, visto que na pouca claridade do quarto fora impossível vê-los.

"Talvez sejam tenores", pensou ele ao reparar nos grandes queixos com furo no meio.

Os rostos extremamente lavados o davam desgosto. K. chegava a ver as mãos que os lavaram, passando pelos cantos dos olhos, esfregando os lábios superiores, coçando as dobras daqueles queixos.

Quando K. reparou nisso, ele parou, portanto os outros tiveram de parar também; estavam no perímetro de uma ampla praça, vazia de gente, mas decorada com muitas flores.

– Por que foram mandar vocês, dentre tantos? – ele reclamou, mais gritando do que perguntando.

Os dois cavalheiros, obviamente, não tinham resposta para dar, então aguardaram, liberando os braços para pender para o chão, como enfermeira quando o paciente precisa descansar.

– Não darei mais nem um passo – explicou K., mais para ver o que aconteceria.

Os cavalheiros não precisaram reagir, bastou que não soltassem os braços de K. e tentassem movê-lo, mas ele resistiu.

"Logo não vou mais precisar de tanta força, vou usar toda agora", pensou. E lembrou-se das moscas que perdem as pernas na luta para libertar-se do papel mata-moscas. "Esses cavalheiros terão muito trabalho pela frente."

Nesse momento, a Srta. Bürstner apareceu na praça, na frente deles, na escadaria de uma ruazinha mais abaixo. Não havia certeza de que era ela, embora a similaridade fosse, de fato, grande. Mas não fazia diferença para K. se era mesmo ela, ele somente teve ciência subitamente de que não havia por que resistir. Não haveria nada de heroico em resistir, se ele causasse problemas agora para esses cavalheiros, se ao defender-se apreciasse um último lampejo de vida. Ele pôs-se a andar, o que agradou aos cavalheiros, e parte do prazer dos dois foi transmitido a K. Passaram a deixá-lo escolher em que direção seguir, e ele resolveu escolher a direção que levava para a moça adiante, não tanto por querer alcançá-la, nem mesmo por querer ficar de olho nela o máximo possível, mas somente para não se esquecer da censura que ela representava para ele. "A única coisa que posso fazer agora", ele pensou, e esse pensamento foi confirmado pelo comprimento igual de seus passos e aqueles dos outros dois, "a única coisa que posso fazer agora é manter o bom senso e fazer o que precisa ser feito até o final. Eu sempre quis cair no mundo e tentar fazer coisas demais, e até fazê-lo por algo que não fosse tão reles. Esse foi o meu erro. Deveria agora lhes mostrar que não aprendi nada enfrentando o processo por um ano inteiro? Deveria fugir, como um idiota? Deveria deixar que digam, depois que eu me for, que no começo dos procedimentos eu queria pôr um fim neles e, agora que terminaram, eu quero recomeçá-los? Não quero que ninguém diga isso. Fico grato por terem enviado esses homens que não falam, não entendem nada, para me acompanhar nessa jornada, e que agora resta a mim dizer o que é necessário".

Entrementes, a moça virara numa rua lateral, mas K. não precisava mais dela e deixou que seus companheiros o guiassem. Todos os três, agora em total acordo, cruzaram uma ponte sob a luz da lua, os dois cavalheiros estavam dispostos a ceder a cada pequeno movimento feito por K., quando ele virou um pouco para a beirada e direcionou o grupo nesse sentido, como uma unidade. O luar reluzia e tremulava na água, que se dividia ao redor de uma ilhazinha coberta por uma massa densa de folhagem e árvores e moitas. Debaixo deles, agora invisível, havia trilhas de cascalho com bancos confortáveis, nos quais K. se esticara em muitos dias de verão.

— Eu não queria parar aqui, na verdade – explicou ele aos companheiros, envergonhado pela complacência deles para com suas vontades. Atrás de K., um deles pareceu criticar baixinho o outro por não entender direito a parada, e então prosseguiram. Passaram por diversas ruas, nas quais policiais andavam ou ficavam de guarda aqui e ali; alguns ao longe, outros muito perto. Um deles, de bigode volumoso, com a mão no punho da espada, parecia ter a intenção de abordar o grupo, que não ostentava nada de suspeito. Os dois cavalheiros pararam, o policial pareceu prestes a abrir a boca, e então K. fez o grupo seguir adiante à força. Muitas vezes ele olhou para trás para ver se o policial os seguia, mas, quando uma esquina ficou entre eles e o policial, K. começou a correr, e os dois cavalheiros, apesar de estarem seriamente sem fôlego, tiveram de correr com ele.

Desse modo, deixaram rapidamente a área urbana e encontraram-se nos campos, que, nessa parte da cidade, começavam quase sem zona de transição. Havia uma pedreira, vazia e abandonada, perto de um prédio similar aos demais da cidade. Ali os homens pararam, talvez por ter sido esse o destino desde o início ou talvez porque estavam exaustos demais para correrem mais. Ali soltaram os braços de K., que ficou aguardando em silêncio, e tiraram os chapéus, olhando ao redor da pedreira, limpando o suor da testa com um lenço. O luar cobria todo canto com a paz natural garantida a nenhuma outra luz.

Após trocarem algumas cortesias sobre quem deveria executar as tarefas seguintes – os cavalheiros pareciam não ter recebido funções específicas –, um deles foi até K. e tirou-lhe o casaco, o sobretudo e, finalmente, a camisa. K. tremeu sem querer, no que os cavalheiros, cada um, deram-lhe um gentil e tranquilizador tapinha nas costas. Depois dobrou as coisas como se ainda fossem ser necessárias, ainda que não num futuro próximo. Não queria expor K. ao frio da noite sem se mexer, então o pegou pelo braço e ficaram andando daqui para lá, enquanto o outro cavalheiro pesquisava em toda a pedreira por um local adequado. Quando encontrou, fez um sinal e o outro cavalheiro levou K. até lá. Ficava perto da face da rocha onde uma pedra havia se soltado. Os cavalheiros sentaram K. no chão, fizeram-no deitar junto da pedra e no topo ajustaram a cabeça dele. Apesar de todo o esforço da parte deles e apesar de toda a cooperação demonstrada por K., seu comportamento parecia muito forçado e difícil de acreditar. Então, um dos cavalheiros pediu ao outro que lhe desse um pouco de tempo para que ele mesmo posicionasse K., mas nem mesmo isso ajudou em muita coisa. No final, deixaram K. numa posição que estava bem longe de ser melhor que as que tinham tentado antes. Um dos cavalheiros abriu a jaqueta e, de uma bainha pendurada num cinto esticado em torno da cintura, sacou uma longa faca fina de dois gumes, que ele ergueu na luz para testar o fio. As repulsivas cortesias recomeçaram, um deles passou a faca por cima de K. para o outro, que passou por cima de K. de volta ao primeiro. K. soube, então, que era seu dever pegar a faca quando passasse de uma mão à outra e fincá-la em si mesmo. Mas ele não o fez. Em vez disso, girou o pescoço, que ainda estava livre, e olhou ao redor. Não era capaz de mostrar todo o seu valor, não era capaz de tirar todo o trabalho das instituições oficiais, faltava-lhe o resto de força de que precisava, e essa última falha era culpa de quem quer que a tivesse negado a ele. Ao olhar ao redor, viu o andar mais alto do prédio ao lado da pedreira. Viu como bruxuleava uma luz, e as duas metades de uma janela abrindo-se, alguém, tornado vago e fino pela altura e a distância, debruçara-se ali e esticara os braços ainda mais para fora. Quem seria? Um amigo? Uma boa pessoa? Alguém que queria participar? Alguém que queria ajudar? Estava sozinho? Não havia mais ninguém? Alguém o ajudaria? Havia objeções que tinham sido esquecidas? Devia haver alguma. A lógica não pode ser refutada, mas alguém que quer viver não vai resistir a isso. Onde estava o juiz que ele nunca vira? Onde estava a alta corte que nunca alcançara? Ele ergueu as duas mãos e esticou bem todos os dedos.

Contudo, as mãos de um dos cavalheiros estavam pousadas na garganta de K., enquanto o outro enfiou a faca bem fundo no coração dele e girou, duas vezes. Conforme sua visão falhava, K. viu os dois cavalheiros de bochechas coladas, bem em frente ao seu rosto, admirando o resultado.

– Feito um cão! – exclamou.

Era como se a vergonha do fato fosse sobreviver a ele.

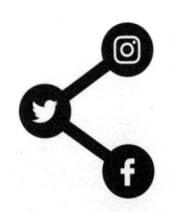

fonte
quadraat

@novoseculo
nas redes sociais

gruponovoseculo.com.br